KV-041-913

on-line > **www.vulkani.rs**
mail to > **office@vulkani.rs**

Naziv originala:
Robin S. Sharma
THE MONK WHO SOLD HIS FERRARI

Copyright © 1997 by Robin S. Sharma
Translation Copyright © 2013 za srpsko izdanje Vulkan izdavaštvo

ISBN 978-86-10-00000-9

Ova knjiga štampana je na prirodnom recikliranom papiru od
drveća koje raste u održivim šumama. Proces proizvodnje u
potpunosti je u skladu sa svim važećim propisima Ministarstva
životne sredine i prostornog planiranja Republike Srbije.

Robin Šarma

KALUĐER KOJI JE PRODAO SVOJ FERARI

*Priča o tome kako da ostvarite svoje
snove i uzmete sudbinu u svoje ruke*

Prevela Marina Aleksić

Beograd, 2013.

Mom sinu, Kolbiju, koji me
svakodnevno podseća na sve
što je dobro na ovom svetu.
Budi blagosloven.

„Za mene život nije sveća koja brzo gori. To je neka vrsta divne baklje, koju sam za momenat držao i za koju želim da plamti što sjajnije, pre nego što pređe u ruke budućih generacija.“

Džordž Bernard Šo

SADRŽAJ

Prvo poglavlje

Poziv na buđenje

Pozlilo mu je upravo usred prepune sudnice. Bio je jedan od najpoznatijih parničnih advokata u ovoj zemlji. Isto tako bio je čovek poznat, kako po svojim italijanskim odelima od 3.000 dolara, tako i po nizu izvanrednih pravnih pobeda. Jednostavno sam stajao tamo, paralisan šokom zbog onoga što sam upravo video. Veliki Džulijan Mentl se pretvorio u žrtvu i sada se savijao na podu poput bespomoćnog deteta, tresući se, drhteći i znojeći se kao pomahnitao.

Od tog trenutka, sve je izgledalo kao usporen film. „Bože moj, Džulijan je u nevolji", vrisnula je njegova asistentkinja, uzbuđeno nam pokazujući potresan prizor koji smo već i sami videli. Sudija je izgledala upaničeno i brzo je promrmljala nešto u slušalicu privatnog telefona, koji je tu postavila za hitne slučajeve. Što se mene tiče, mogao sam samo da stojim tamo, ošamućen i zbunjen. *Molim te, nemoj da umreš, matora budalo. Prerano je za tebe da odeš. Ne zaslužuješ da umreš tako.*

Sudski čuvar, koji je pre toga izgledao kao da je balzamovan u stojećem stavu, pokrenuo se i počeo da reanimira palog heroja sudnice. Pored njega bila je asistentkinja, čiji su dugi plavi uvojci padali preko Džulijanovog lica crvenog kao rubin, dok mu se obraćala nežnim rečima utehe, koje on očigledno nije mogao da čuje.

Poznavao sam Džulijana sedamnaest godina. Prvi put smo se sreli kada me je kao mladog studenta prava, jedan od njegovih partnera angažovao preko leta kao istraživača pripravnika. Već tada, on je imao sve. Bio je briljantan, lep, neustrašiv advokat koji je sanjao da postane veliki. Džulijan je bio mlada zvezda firme, čovek od akcije koji je čekao svoj trenutak.

Još uvek se sećam kako sam jedne noći dok sam radio do kasno, prolazeći pored njegove kraljevski velike kancelarije, krišom bacio pogled na uramljeni citat na njegovom masivnom hrastovom stolu. To je bio citat Vinstona Čerčila o veličini čoveka, kakav je bio Džulijan:

Siguran sam da smo mi danas gospodari naše sudbine, da zadatak koji je stavljen pred nas nije izvan naših moći, da muke i bol nisu van granica moje izdržljivosti. Dokle god verujemo u sopstvene ideale i nesavladivu volju za pobedom, pobeda nam neće biti uskraćena.

Džulijan je takođe stajao iza svojih reči. Bio je nepopustljiv, preopterećen poslom i voljan da radi osamnaest časova dnevno radi uspeha za koji je verovao da je njegova sudbina. Uz čašu vina, čuo sam da je njegov deda bio istaknuti senator, a njegov otac izuzetno poštovan sudija Saveznog suda. Bilo je očigledno da potiče iz bogate porodice i da su na njegova pleća ogrnuta Armanijem bila postavljena ogromna očekivanja. Ipak, priznaću jednu stvar: on je trčao svoju sopstvenu trku. Bio je predodređen da radi na svoj osobeni način – voleo je da pravi predstavu.

Džulijanove skandalozne predstave u sudnici, redovno su punile naslovne strane novina. Bogati i slavni bi se sjatili oko njega kad god bi im zatrebao izvanredan pravni taktičar agresivnog nastupa. Njegove vanprofesionalne aktivnosti su verovatno bile dobro znane. Kasne noćne posete najboljim restoranima u društvu seksepilnih mladih manekenki ili bezobzirno pijančenje sa gomilom siledžija koje je on nazivao svojim „razbijačkim timom", postale su legenda u firmi.

Još uvek ne shvatam zašto je izabrao mene da radim s njim na senzacionalnom slučaju ubistva, koji je on vodio tog prvog leta. Iako sam diplomirao na pravnom fakultetu na Harvardu, na kome je i on studirao, si - gurno nisam bio najbolji pripravnik u firmi, a moje porodično poreklo nije bilo aristokratsko. Moj otac je proveo ceo život kao čuvar u lokalnoj banci nakon službe u marincima. Moja majka je odrasla u Bronksu, živeći sasvim jednostavno. Uprkos tome, on je između svih koji su tiho lobirali kod njega za privilegiju da budu njegov potrčko, u procesu poznatom pod imenom „Prototip svih suđenja o ubistvima", izabrao mene. Rekao je da mu se dopala moja „glad". Pobedili smo, naravno, i poslovni čovek koji je bio optužen za brutalno ubistvo svoje žene, sada je bio slobodan – odnosno slobodan onoliko koliko mu je to njegova nečista savest dozvoljavala.

Moje lično obrazovanje se upotpunilo tog leta. To je bilo mnogo više od lekcije – kako u potpunosti otkloniti opravdanu sumnju – koju bi bilo koji advokat uspešan u svom poslu, mogao da učini. To je bila psihološka lekcija o pobeđivanju i retka prilika da se posmatra majstor na delu. Upijao sam to kao sunđer.

Na Džulijanov poziv, pridružio sam se firmi i ubrzo se među nama razvilo trajno prijateljstvo. Priznaću da nije bilo jednostavno sarađivati s njim. Raditi kao njegov mlađi kolega često je bilo frustrirajuće i dovodilo je do glasnih prepirki u gluvo doba noći. To je bio njegov način. Taj čovek nikada nije mogao da pogreši. Međutim, iza njegove otresite spoljašnosti, krila se osoba koja je zaista brinula o ljudima.

Bez obzira na to koliko je bio zauzet, uvek bi pitao za Dženi, ženu koju ja još uvek zovem „moja nevesta" iako smo bili venčani i pre mog odlaska na fakultet. Kada je nakon druge letnje prakse shvatio da sam u finansijskom škripcu, Džulijan je sredio da dobijem poveću stipendiju. Voleo je da ponekad divlja, i mada je znao da bude beskompromisan prema svojim prijateljima, nikad ih nije zanemarivao. Jedini pravi problem je bila činjenica da je Džulijan bio opsednut svojim poslom.

Prvih nekoliko godina opravdavao je svoje dugačko radno vreme govoreći da on to „čini za dobrobit firme" i da je planirao da uzme mesec dana odmora i ode na Kajmane „*sledeće* zime sasvim sigurno". Međutim, kako je vreme prolazilo Džulijanova brilijantna reputacija se širila i njegova opterećenost poslom je rasla. Slučajevi su postajali veći i značajniji, a Džulijan, koji nikad nije bežao od dobrog izazova, probijao se sve dalje i dalje. U retkim trenucima opuštenosti, priznavao je da više ne može da spava duže od par sati a da se ne probudi sa osećanjem krivice što ne radi na predmetu. Uskoro mi je postalo jasno da je njime ovladala glad da postigne više: više ugleda, više slave i više para.

Kao što se i očekivalo, Džulijan je postao enormno uspešan. Postigao je sve što je većina ljudi ikad mogla da poželi: zvezdanu profesionalnu reputaciju sa prihodom od sedam cifara, spektakularni dvorac u susedstvu slavnih, privatni avion, letnjikovac na tropskom ostrvu i ono sto je veoma cenio – sjajni crveni ferari parkiran na centralnom mestu njegovog prilaza kući.

Ipak, znao sam da stvari nisu tako idilične kao što su se činile u prvi mah. Primetio sam znakove zle kobi koja se primicala, ne zato što sam bio vidovitiji od ostalih u firmi, već jednostavno zato što sam provodio najviše vremena s njim. Bili smo stalno zajedno, jer smo uvek radili. Izgledalo je da posao nikad ne jenjava. Na horizontu se uvek pojavljivao neki nov senzacionalan slučaj veći od prethodnog. Priprema nikad nije bila dovoljno dobra za Džulijana. Šta ako se desi da sudija postavi ovo ili ono pitanje? Šta bi se desilo ako naše istraživanje ne bi bilo savršeno? Šta bi bilo ako bi iznenađen nečim usred prepune sudnice, ostao kao jelen paralisan pod svetlima farova koji su ga iznenada obasjali? Tako smo se naprezali do krajnjih granica i ja sam se takođe našao zaglavljen u njegovom svetu gde je centralno mesto zauzimao posao. Eto gde smo bili – dva roba vremena, koji rintaju na šezdeset četvrtom spratu nekog čelično-staklenog solitera, dok većina normalnog sveta sedi kod kuće sa svojim porodicama. Mislili smo da smo uhvatili boga za bradu, zaslepljeni iluzijom uspeha.

Što sam više vremena provodio sa Džulijanom, to sam više uviđao kako on tone sve dublje ka dnu. Izgledalo je kao da ima neku potajnu želju za smrću. Ništa ga nije zadovoljavalo. Konačno, njegov brak je propao, nije više razgovarao sa ocem i uprkos činjenici da je u materijalnom smislu posedovao sve što je neko mogao da poželi, još uvek nije bio pronašao šta je to što traži. To se ogledalo na emotivnom, psihičkom i duhovnom planu.

U pedeset trećoj godini, Džulijan je izgledao kao da je bio u kasnim sedamdesetim. Lice mu je bilo puno bora, neslavan danak njegovoj osnovnoj životnoj de - vizi „živeti bez sputavanja" i ogromnom stresu usled neuravnoteženog načina života. Kasne noćne večere u skupim francuskim restoranima, pušenje debelih kubanskih cigara, ispijanje konjaka za konjakom dovelo ga je do opterećujuće gojaznosti. Konstantno se žalio da mu je puna kapa toga da bude bolestan i umoran. Izgubio je smisao za humor i više se uopšte nije smejao. Džulijanov nekadašnji entuzijazam zamenila je smrtna ozbiljnost. Lično, mislim da je njegov život bio izgubio svaku svrhu.

Možda je najtužnije bilo to, što je čak i u sudnici izgubio fokus. Tamo, gde bi nekada zabljesnuo sve prisutne svojim elokventnim i neoborivim argumentima, sada je satima pričao pred sudom monotono i nesuvislo, o nerazjašnjenim slučajevima koji su imali malo ili nimalo veze sa predmetom. Tamo gde bi nekada zahvalno reagovao na primedbe protivnika, sada je pokazivao gorki sarkazam i tako više puta iskušavao strpljenje sudija, koji su ranije u njemu gledali pravnog genija. Jednostavno rečeno, Džulijanova životna iskra počela je da se gasi.

Nije samo sklonost ka frenetičnom tempu vodila Džulijana u preranu smrt. To je bilo nešto mnogo dublje. Izgleda da je to bila stvar duha. Skoro svakog dana mi je pominjao kako ne oseća nikakvu strast prema onome što radi i kako je okružen prazninom. Govorio je da je kao mlad advokat zaista voleo pravo, iako je u startu društvenim položajem svoje porodice bio gurnut u to. Pravne začkoljice i intelektualni izazovi su ga fascinirali i punili energijom. Njihova moć da utiču na društvene promene, inspirisala ga je i motivisala. Već tada je bio nešto više od bogatog klinca iz Konektikata. Zaista je video sebe kao snagu dobra, kao instrument društvenog napretka, kao nekoga ko može da koristi svoje bogom dane talente da pomogne drugima. Ta vizija davala je njegovom životu smisao. To mu je dalo svrhu i pothranjivalo njegove nade.

Međutim, u Džulijanovom neradu krilo se nešto više nego što je zanemarivanje posla od koga je živeo. Džulijan je doživeo neku veliku tragediju, pre nego što sam se ja pridružio firmi. Kako reče jedan od starijih partnera, desilo mu se nešto o čemu zaista nije moglo da se govori i ja nisam mogao da nađem nikoga ko bi mi to ispričao. Čak je i stari Harding, notorni brbljivac, vodeći partner u firmi, koji je provodio više vremena u baru Ric-Karltona nego u svojoj neprijatno velikoj kancelariji, rekao da se zakleo na ćutanje. Šta god da je bila ta duboka mračna tajna, sumnjao sam da ima veze sa Džulijanovom silaznom putanjom. Zaista sam bio radoznao, ali pre svega želeo sam da mu pomognem. On nije bio samo moj mentor, on je bio moj najbolji prijatelj.

I tada se desilo. U ponedeljak ujutro, baš u sudnici broj sedam, sudnici u kojoj smo pobedili u slučaju „Prototip svih suđenja o ubistvima". Jak srčani napad oborio je s nogu briljantnog Džulijana Mentla podsetivši ga na sopstvenu smrtnost.

Drugo poglavlje

Misteriozni posetilac

Bio je to hitan sastanak svih članova firme. Kad smo se nagurali u glavnu salu za sastanke, shvatio sam da postoji ozbiljan problem. Stari Harding je bio prvi koji se obratio okupljenoj masi.

„Bojim se da imam veoma loše vesti. Džulijan Mentl je doživeo jak srčani napad juče u sudnici, dok je diskutovao o slučaju „Er Atlantik". Trenutno je na odeljenju intenzivne nege, ali njegovi lekari su me obavestili da mu se stanje stabilizovalo i da će se oporaviti. Pa ipak, Džulijan je doneo odluku koju, mislim, da svi morate da znate. Odlučio je da napusti našu kuću i odustane od advokatske prakse. On se neće vratiti u firmu."

Bio sam šokiran. Znao sam da je imao svojih problema, ali nikad nisam mislio da će da dâ otkaz. Takođe sam, nakon svega sto smo zajedno prošli, smatrao da je trebalo da bude ljubazan da mi to kaže lično. Nije mi čak dozvolio ni da ga vidim u bolnici. Svaki put kad bih svratio, sestre su imale instrukcije da mi kažu da spava i da ne sme da se uznemirava. Odbijao je i moje telefonske pozive. Možda sam ga podsećao na život koji je želeo da zaboravi. Ko zna? Ipak, reći ću vam, to boli.

Cela ta epizoda desila se pre tri godine. Poslednje što sam čuo, bilo je da je Džulijan krenuo za Indiju, na neku vrstu ekspedicije. Rekao je jednom od partnera da želi da pojednostavi svoj život, da su mu „potrebni neki odgovori" i nadao se da će ih pronaći u toj mistič-noj zemlji. Prodao je svoj dvorac, avion i privatno ostrvo. Prodao je čak i svoj ferari. „Džulijan Mentl kao indijski Jogi", pomislio sam. „Pravo radi na najmiste-riozniji način".

Prošle su tri godine, I ja sam se promenio – od pre-zaposlenog mladog advokata postao sam prezasićen, pomalo ciničan stariji advokat. Moja supruga Dženi i ja smo imali porodicu. Naposletku, počeo sam i ja da tragam za smislom. Mislim da su deca uticala na to. Oni su iz temelja promenili način na koji sam posma-trao svet i moju ulogu u njemu. Moj otac je to najbolje objasnio kad je rekao: „Džone, kad budeš na samrtnoj postelji neće ti biti žao što nisi provodio više vremena u kancelariji". Tako sam počeo da provodim malo više vremena kod kuće i da živim prilično dobrim svakod-nevnim životom. Pridružio sam se Rotari klubu, igrao sam golf subotom da bih usrećio moje partnere i kli-jente. Ali moram da priznam, da sam u trenucima opuštenosti često mislio na Džulijana i pitao se u šta se on pretvorio tokom godina od kada smo neočekivano prekinuli da se družimo.

Možda se skrasio u Indiji, negde gde je toliko drugačije, da je čak i nemirna duša poput njegove mogla sebi da stvori dom. Ili možda planinari po Nepalu? Ili roni na Kajmanskim ostrvima? Jedno je sigurno: nije se vratio profesiji pravnika. Niko nije čak ni razglednicu primio od njega, od kada je otišao u svoj samonametnuti egzil i napustio pravo.

Kucanje na moja vrata, pre otprilike dva meseca, ponudilo mi je prve odgovore na neka od mojih pitanja. Upravo sam završio sastanak sa mojim poslednjim klijentom tog napornog dana, kada je Ženevjev, moja inteligentna asistentkinja, promolila glavu u moju malu, elegantno nameštenu kancelariju.

„Tu je neko ko želi da vas vidi, Džone. Kaže da je hitno i da neće da ode dok ne porazgovara sa vama.“

„Ja upravo izlazim, Ženevjev“, odgovorio sam nestrpljivo. „Žurim da nešto pojedem, pre nego što završim kratak pregled slučaja Hamilton. Nemam vremena nikoga da vidim. Recite mu da zakaže sastanak kao i svi ostali i pozovite obezbeđenje ako vam bude pravio bilo kakav problem.“

„Ali on kaže da zaista mora da vas vidi. Odbija da prihvati negativan odgovor.“

Na trenutak sam pomislio da sâm pozovem obezbeđenje, ali shvativši da sam nekome možda zaista potreban, pomirio sam se sa situacijom: „U redu, pošaljite ga unutra“, popustio sam. „Sigurno ću moći da se opravdam poslom.“

Vrata moje kancelarije polako su se otvarala. Konačno su se potpuno otvorila, otkrivajući nasmejanog čoveka u srednjim tridesetim godinama. Bio je visok, vitak i mišićav, zračio je velikom količinom vitalnosti i energije. Podsetio me je na one savršene klince sa kojima sam pohađao pravni fakultet, iz savršenih porodica, sa savršenim kućama, savršenim kolima i savršenom kožom. Ali kod mog posetioca, postojalo je nešto više od njegovog mladalački dobrog izgleda. Unutarnji mir davao mu je skoro božanski izgled. A tek njegove oči. Prodorne plave oči čiji me je pogled sekao, kao oštrica brijača meku put na svežem licu adolescenta, uplašenog prvim brijanjem.

'Još jedan maestralni advokat koji cilja na moj posao', pomislio sam u sebi. 'Pobogu, zašto samo stoji tamo i posmatra me? Nadam se da nisam zastupao njegovu ženu u onom velikom slučaju razvoda, koji sam dobio prošle nedelje. Pozvati obezbeđenje, na kraju krajeva, možda i nije bila tako loša ideja.' Mladi čovek je nastavio da me gleda na način na koji je nasmejani Buda mogao da gleda omiljenog učenika. Posle dugog trenutka neprijatne tišine, progovorio je iznenađujuće zapovednim tonom.

„Da li ti na ovaj način tretiraš sve svoje posetioce, Džone, čak i one koji su te naučili svemu što znaš o umetnosti uspeha u sudnici? Trebalo je da moje profesionalne tajne zadržim za sebe", rekao je, a njegove pune usne razvukle su se u širok osmeh. Čudno treperenje zagolicalo je moj stomak. Istog časa sam prepoznao taj hrapav, medeno mekan glas. Srce je počelo da mi lupa.

„Džulijane? To si ti? Ne mogu da verujem! Da li si to zaista ti?"

Glasan smeh posetioca potvrdio je moje sumnje. Mladi čovek koji je stajao preda mnom nije bio niko drugi do davno izgubljeni indijski jogi: Džulijan Mentl. Bio sam zapanjen njegovom neverovatnom transformacijom. Bled ten kao u duha, bolesno iskašljavanje i beživotne oči mog bivšeg kolege nestali su. Iščezli su i ostareli izgled i morbidno izražavanje koje je bilo njegov lični zaštitni znak. Umesto toga, čovek ispred mene izgledao je savršeno zdrav, njegovo lice bez bora bilo je rumeno i blistavo. Oči su mu bile svetle, a u njima se ogledala njegova izvanredna vitalnost. Ono što je možda jos više fasciniralo bio je spokoj kojim je Džulijan zračio. Osećao sam se potpuno smireno samo što sam sedeo tamo i posmatrao ga. On više nije bio zabrinut „tip A" stariji partner vodeće pravne firme. Umesto toga čovek ispred mene bio je mladolik, vitalan i nasmejan – model promene.

Treće poglavlje

Čudesni preobražaj
Džulijana Mentla

Bio sam zadivljen novim i boljim Džulijanom Mentlom.

'Kako može neko, ko je samo pre nekoliko godina izgledao kao umoran star čovek, sada da izgleda tako blistavo i živo?', pitao sam se u tihoj neverici. 'Da li je to bila neka magična droga koja mu je omogućila da pije sa izvora mladosti? Šta je prouzrokovalo ovaj izvanredan obrt?'

Džulijan je prvi progovorio. Rekao mi je da je platio ceh oštroj konkurenciji u pravničkom svetu i to ne samo fizički i emotivno, već i duhovno. Jak tempo i beskonačni zahtevi su ga izmorili i iscrpeli. Priznao je da ga je telo izdalo, a um izgubio sjaj. Infarkt je bio samo jedan simptom dubljeg problema. Konstantan pritisak i iscrpljujući raspored advokata svetske klase, slomili su njegov najvažniji i možda najhumaniji deo: duh. Kada su mu lekari postavili ultimatum da se odrekne ili prava ili svog života, video je sjajnu priliku da ponovo pronađe svoju unutarnju snagu koju je imao u mladosti, a koja je nestajala kako je pravo postajalo više posao, a manje zadovoljstvo.

Džulijan je postajao vidno uzbuđen prisećajući se kako je prodao sve materijalno što je posedovao i otišao u Indiju, zemlju koja ga je oduvek fascinirala svojom starom kulturom i mističnom tradicijom.

Putovao je od sela do sela, nekad peške, nekad vozom. Upoznavao je nove običaje, viđao prizore od kojih zastaje dah, zavoleo Induse – ljude koji su zračili toplinom, ljubaznošću, koji su spoznali pravi smisao života. Čak i oni najsiromašniji, otvarali su svoje domove kao i svoja srca ovom umornom posetiocu sa zapada. Kako su dani prerastali u nedelje, Džulijan je polako u toj čarobnoj sredini, ponovo počeo da se oseća celovitim, punim života, možda po prvi put nakon svog detinjstva. Vratila mu se njegova prirodna radoznalost, kreativnost, entuzijazam i volja za životom. Postao je mnogo veseliji i smireniji. Ponovo je počeo da se smeje. Iako je uživao u svakom trenutku provedenom u ovoj egzotičnoj zemlji, Džulijan mi je rekao da to putovanje u Indiju nije bilo samo običan odmor da bi se njegov prezaposleni um opustio. Vreme provedeno u toj dalekoj zemlji, opisao mi je kao „odiseju otkrivanja samog sebe". Priznao je da je bio odlučio da pronađe sebe i smisao svog života, pre nego što bude prekasno. Da bi uspeo u tome, prvo što je morao da uradi bilo je da se upozna sa tom kulturom, da upija njihovu drevnu mudrost o tome kako živeti opleme - njenim, ispunjenim, prosvećenim načinom života. „Džone, ne bih želeo da ovo zvuči bizarno, ali to je bilo kao da sam dobio naređenje iznutra, unutrašnju komandu da započnem duhovno putovanje da bih pronašao izgubljenu iskru života", reče Džulijan. „To vreme je za mene bilo period velikog oslobađanja."

Što je više istraživao, to je više saznavao o indijskim monasima koji su živeli preko sto godina, a koji su uprkos poodmakloj dobi imali život pun mladalačke energije i vitalnosti. Što je više putovao, to je više naučio o večnim jogijima koji su ovladali veštinom kontrole uma i duhovnog prosvetljenja. I što je više video, to je više želeo da razume moć koja se krila iza ovog čuda ljudske prirode, nadajući se da će biti u stanju da primeni njihovu filozofiju u svom sopstvenom životu.

U prvom periodu svog putovanja Džulijan je odabirao mnoge dobro poznate i visoko cenjene učitelje. Kazao mi je da ga je svaki od njih dočekao raširenih ruku i otvorenog srca, podelivši sa njim sve znanje stečeno tokom celog života provedenog u dubokom razmišljanju o uzvišenim pitanjima egzistencije. Džulijan je pokušao da opiše lepotu drevnih hramova rasutih širom mističnih pejzaža Indije, tih građevina koje su stajale kao verni čuvari vekovnih mudrosti. Svetost tih mesta ga je duboko dotakla.

„Džone, to je bilo čudesno vreme u mom životu. Bio sam umoran, stari advokat koji je prodao sve svoje, od trkačkog konja do roleksa, a sve što je preostalo spakovao u jedan ranac koji mi je postao veran saputnik kada sam se prepustio večnoj tradiciji istoka."

„Da li je bilo teško otići?", glasno sam razmišljao, nesposoban da potisnem radoznalost.

„Zapravo, to je bila najjednostavnija stvar, koju sam ikada uradio. Spontano sam odlučio da se odreknem svoje prakse i svih materijalnih dobara. Alber Kami je jednom izjavio da je stvarna velikodušnost u pogledu budućnosti, davanje svega sadašnjosti. To je upravo ono sto sam ja učinio. Znao sam da moram da se promenim, pa sam odlučio da poslušam svoje srce i uradim to na veoma dramatičan način. Život mi je postao mnogo jednostavniji i smisleniji otkako sam teret prošlosti ostavio iza sebe. Onog momenta kada sam prestao da provodim vreme u jurnjavi za velikim životnim zadovoljstvima, počeo sam da uživam u malim stvarima poput posmatranja zvezda na nebu punom mesečine ili upijanja sunčevih zraka veličanstvenog letnjeg jutra. Osim toga, Indija je mesto velikog intelektualnog podsticaja tako da sam retko razmišljao o onome što sam napustio."

Iako je bilo intrigantno, početno upoznavanje te egzotične kulture nije Džulijanu pružilo znanja za kojima je tragao. U prvim danima njegove odiseje, mudrost koju je želeo i praktične tehnike za koje se nadao da će da promene kvalitet njegovog života i dalje su mu izmicali. Džulijan je bio u Indiji već skoro sedam meseci kada je po prvi put osetio promenu. Bio je u Kašmiru, drevnoj, mističnoj državi koja uspavano leži u podnožju Himalaja, kada je imao sreću da sretne gospodina po imenu Jogi Krišnan.

Taj vitak čovek glatko izbrijane glave, u svom „bivšem životu", takođe je bio advokat, kako je često umeo u šali da kaže. Zasićen grozničavim tempom života koji je odlika modernog Nju Delhija, i on se odrekao svojih materijalnih dobara i preselio se u mnogo jednostavniji svet. Kada je počeo da se brine o seoskom hramu, Krišnan je upoznao sebe i uvideo svrhu svog života.

„Bio sam umoran od života u trku. Shvatio sam da je moja misija da služim druge i da na neki način dam doprinos da ovaj svet postane bolji. Sada živim da bih davao", kazao je Džulijanu. „Provodim dane i noći u hramu, živeći strogim ali ispunjenim životom. Delim svoje mišljenje sa svima koji dođu da mole. Služim one kojima trebam. Ja nisam sveštenik. Ja sam samo čovek koji je pronašao svoju dušu."

Džulijan je pak ispričao svoju priču ovom advokatu preobraćenom u jogija. Pričao mu je o svom pređašnjem životu na visokoj nozi. O svojoj gladi za posedovanjem i opsednutošću poslom. Uz puno emocija odao je svoja unutrašnja previranja i krizu duha koja ga je zahvatila kada je njegova nekad nepresušna životna energija počela da se gasi usled neuravnoteženog načina života.

„Moj prijatelju, i ja sam takođe to iskusio. Osetio sam isti bol kao i ti. Ipak, naučio sam da se ništa ne dešava slučajno", dodao je Jogi Krišnan saosećajno. „Sve se dešava s razlogom i svaki neuspeh ima svoje naravoučenije. Shvatio sam da svaki promašaj, bilo da je lične, profesionalne ili čak duhovne prirode, jeste os - nova ličnog razvoja. Doprinosi unutarnjem razvoju i donosi na fizičkom planu čitav niz dobitaka. Nikad ne žali za svojom prošlošću. Bolje, izvuci pouku iz nje."

Džulijan mi je rekao da je nakon što je čuo sve ovo, osetio veliko ushićenje. Možda je u Jogi Krišnanu našao mentora koga je tražio. Ko može bolje da ga nauči kako da otkrije tajnu uravnoteženog života, punog čari i užitaka, nego drugi bivši advokat njegovog ranga, koji je kroz vlastito duhovno prosvetljenje otkrio bolji način života?

„Potrebna mi je vaša pomoć, Jogi Krišnan. Moram da naučim kako da stvorim bogatiji, ispunjeniji život."

„Biće mi čast da vam pomognem u tome na sve na čine koje znam", ponudio je Jogi. „Ali mogu li da vam nešto predložim?"

„Naravno."

„Od kada vodim brigu o ovom hramu u ovom malom selu, slušao sam šaputanja o tajnovitoj grupi mudraca koji žive visoko u Himalajima. Legenda kaže da su oni otkrili način koji će iz temelja unaprediti kvalitet bilo čijeg života – ne mislim samo fizički. To bi trebalo da bude celovit, jedinstven, vanvremenski skup principa i večnih tehnika koji služe da oslobode potencijale uma, tela i duše."

Džulijan je bio fasciniran. Ovo je izgledalo savršeno. „Gde tačno žive ti mudraci?"

„Niko ne zna i žao mi je što sam ja prestar da krenem u istraživanje. Ali prijatelju moj, reći ću ti jednu stvar, mnogi su pokušali da ih nađu i nisu uspeli u to me – sa tragičnim posledicama. Gornji vrhovi Himalaja su opasni do te mere da se to ni sa čim ne može porediti. Čak i najveštiji alpinisti su se tu osećali bespomoćno pred silama prirode. Ali ako su to zlatni ključevi onoga za čim ti tragaš – zdravlje koje zrači, trajna sreća, unutarnje ispunjenje, ja nemam mudrost koju ti tražiš – oni imaju."

Džulijan, koji nikada nije lako odustajao, ponovo je upitao Jogi Krišnana: „Da li ti sigurno nemaš pojma gde oni žive?"

„Sve što mogu da ti kažem jeste da ih lokalno stanovništvo naziva Velikim mudracima Sivane. U njihovoj mitologiji Sivana znači 'oaza prosvetljenja'. Ovi kaluđeri se poštuju kao božanstva zbog svog ustrojstva i uticaja. Kada bih znao gde se nalaze, bila bi mi dužnost da ti kažem. Ali iskreno – ja ne znam, u stvari niko ne zna."

Sledećeg jutra, čim su prvi zraci indijskog sunca zaigrali na horizontu punom boja, Džulijan se uputio ka izgubljenoj zemlji Sivana. Prvo je razmišljao o tome da iznajmi Šerpa vodiča da ga vodi u njegovom penjanju po Himalajima, ali iz nekog čudnog razloga instinkt mu je rekao da ovo putovanje treba sam da obavi. I tako je, možda po prvi put u životu poverovao svojoj intuiciji umesto razumu. Osećao je da će biti bezbedan. Nekako je znao da će naći to što traži. Tako je počeo da se penje sa žarom misionara.

Prvih nekoliko dana bilo je lako. Ponekad bi sreo nekog od veselih žitelja sela iz podnožja, koji bi se zadesili na nekoj od staza verovatno u potrazi za pravim komadom drveta za njihov duborez, ili tražeći utočište koje ovo nestvarno mesto nudi svima koji se usude da kroče ovako visoko u nebesa. Drugi put se peo sam, koristeći to vreme da na miru razmisli o tome gde je bio u svom životu – a gde je sad.

Nije prošlo mnogo vremena a selo u podnožju je postalo sićušna tačka na čudesnoj slici lepote prirode. Raskoš snegom pokrivenih vrhova Himalaja ubrzavala je otkucaje njegovog srca i na momente mu oduzimala dah. Osećao je bliskost sa okolinom, povezanost kakvu mogu da osećaju dva stara prijatelja nakon mnogo godina provedenih u međusobnom poveravanju najskrivenijih misli i izmenjivanju šala. Svež planinski vazduh pročišćavao je njegov um i jačao njegov duh. Pošto je više puta proputovao ceo svet, Džulijan je mislio da je sve video. Ali nikada nije video lepotu poput ove. Čudesa koja je upijao u tom magičnom periodu bila su izvanredno priznanje simfoniji prirode. Odjednom se osećao radostan, vedar i bezbrižan. To je bilo tu, visoko iznad čovečanstva, gde se Džulijan usudio da polako izađe iz okvira čulne i počne da istražuje domen vančulne percepcije.

„Još uvek se sećam reči koje su mi prolazile kroz gla - vu, tamo gore", kazao je Džulijan. „Mislio sam nakon svega da je život u potpunosti stvar izbora. Sudbina svakog od nas zavisi od izbora koje pravimo i bio sam siguran da je ono što sam ja izabrao bila prava stvar. Znao sam da moj život više nikad neće biti isti i da mi se dešava nešto divno, možda čak čudesno. To je bilo zadivljujuće prosvetljenje."

Kako se Džulijan peo sve više, u predele Himalaja sa razređenim vazduhom, postajao je sve uznemireniji. „Ali to je bila ona dobra vrsta nervne napetosti, poput one koju sam imao na maturi ili pre nego što bi počeo neki uzbudljiv slučaj, a novinari me presretali na stepeništu suda. Iako nisam imao ni vodiča ni mapu, put je bio jasan i uzana lagano utabana staza me je vodila naviše u najdublje kutke tih planina. Kao da sam imao neki unutrašnji kompas koji me je nežno navodio u smeru mog odredišta. Mislim da nisam mogao da prestanem da se penjem čak i da sam hteo." Džulijan je bio uzbuđen, reči su iz njega navirale kao nabujali planinski potok posle kiše.

Idući još dva dana putem za koji se molio da ga odvede u Sivanu, Džulijanove misli su odlutale nazad u njegov pređašnji život. Iako se osećao potpuno oslobođen od stresa i napetosti koji su predstavljali njegov raniji svet, pitao se da li bi zaista mogao da provede ostatak života bez intelektualnog izazova koji mu je profesija pravnika nudila od kako je napustio Harvardski pravni fakultet. Zatim se u mislima vratio do svoje kancelarije obložene hrastovinom, u blistavom soliteru u centru grada i do idiličnog letnjikovca koji je prodao budzašto. Razmišljao je o starim drugovima sa kojima je često odlazio u najbolje restorane i najglamuroznije lokale. Setio se i svog dragocenog ferarija i kako bi njegovo srce poskočilo kada bi upalio motor i sva ta snaga oživela.

Kako je zalazio dublje u nedokučivost ovog mističnog područja, sećanja na prošlost brzo su se smenjivala sa omamljujućom lepotom određenog trenutka. Dok se on bavio opažanjima do kojih je došao zahvaljujući urođenoj pronicljivosti, desilo se nešto zadivljujuće.

Malo ispred sebe na stazi, primetio je krajičkom oka drugu figuru, obučenu čudno u dugačku lepršavu crvenu tuniku, prekrivenu tamnoplavom pelerinom sa kapuljačom.

Džulijan je bio zadivljen što vidi bilo koga na ovom izolovanom mestu do koga mu je trebalo sedam dana da stigne. Pošto je bio mnogo milja udaljen od bilo kakve prave civilizacije i još uvek nesiguran gde se nalazi njegovo konačno odredište Sivana, obratio se svom saputniku.

Čovek je odbio da mu odgovori i ubrzao je korak duž staze kojom su se obojica penjali, ni ne pogledavši Džulijana makar iz pristojnosti. Ubrzo posle toga tajanstveni putnik je potrčao, a njegova crvena tunika vijorila je za njim kao pamučni čaršavi okačeni na žicu na vetrovitom jesenjem danu.

„Prijatelju, molim te, treba mi tvoja pomoć da nađem Sivanu“, zavapio je Džulijan. „Putujem sedam dana sa malo hrane i vode. Mislim da sam se izgubio.“

Osoba se naglo zaustavila. Džulijan se oprezno primakao a putnik je stajao potpuno miran i tih. Nije pomerao ni glavu, ni ruke, stajao je kao ukopan. Džulijan nije mogao da mu vidi lice zbog pelerine, ali je bio preneražen sadržinom male korpe u rukama putnika. Unutra je bio buket najdelikatnijeg i najlepšeg cveća koje je Džulijan ikada video. Kako se Džulijan približio, tako je čovek jače zgrabio korpu kao da želi da pokaže oboje – i ljubav prema dragocenoj sadržini i nepoverenje prema visokom zapadnjaku, koji je tu bio česta pojava koliko i kap rose u pustinji.

Džulijan je gledao putnika sa izrazitom radoznalošću. Sunčevi zraci koji su obasjali lice ispod široke kapuljače pokazali su da je u pitanju muškarac. Ali Džulijan nikada ranije nije video čoveka poput ovoga. Iako je u najmanju ruku bio istih godina kao i on, imao je upadljive crte lica koje su Džulijana omađijale i naterale da jednostavno zastane i zagleda se u njega, a činilo se kao da to traje čitavu večnost. Imao je mačije oči toliko prodornog pogleda da je Džulijan morao da skrene pogled. Ten mu je bio maslinast, koža meka i glatka. Telo je izgledalo čvrsto i snažno. Iako su njegove ruke odavale da nije mlad, čovek je zračio takvim obiljem mladalačke energije i vitalnosti da je Džulijan ostao hipnotisan poput deteta koje prvi put gleda mađioničarsku predstavu.

'Ovo mora da je jedan od Velikih mudraca Sivane', pomislio je Džulijan za sebe, jedva uspevajući da obuzda radost otkrića.

„Ja sam Džulijan Mentl. Došao sam da učim od mu - draca Sivane. Da li znate gde mogu da ih nađem?", upitao je.

Čovek je zamišljeno gledao ovog umornog posetioca sa zapada. Njegova vedrina i mir činili su njegovu pojavu u prirodi anđeoskom, a iznutra prosvetljenom.

Progovorio je mekano, gotovo šapatom: „Prijatelju, zašto tražiš te mudrace?"

Osetivši da je zaista pronašao jednog od mističnih kaluđera koji je mnogima pre njega tako dugo izmicao, Džulijan je otvorio svoje srce i ispričao putniku sve o svojoj odiseji. Govorio je o svom ranijem životu, o duhovnoj krizi sa kojom se borio, kako je protraćio svoje zdravlje i energiju zbog prolaznih nagrada koje mu je donela njegova advokatska karijera. O tome kako je zamenio bogatstvo svoje duše za debeli bankovni račun i iluzorna zadovoljstva svog života na način „živi brzo, umri mlad". Pričao mu je o svojim putovanjima po mističnoj Indiji i susretu sa Jogi Krišnanom, bivšim advokatom iz Nju Delhija koji je takođe odbacio raniji život u nadi da ce naći unutarnju harmoniju i trajan mir.

Putnik je ostao miran i tih sve dok Džulijan nije počeo da priča o svojoj gorućoj, skoro opsesivnoj želji da se upozna sa drevnim principima prosvetljenog načina života. Tada je čovek ponovo progovorio i stavivši ruku na Džulijanovo rame, ljubazno rekao: „Ako stvarno imaš jaku želju da naučiš mudrost boljeg načina života, onda je moja dužnost da ti pomognem. Ja sam zaista jedan od tih mudraca zbog kojih si došao ovako daleko. Ti si prva osoba koja nas je pronašla posle mnogo godina. Čestitam. Divim se tvojoj upornosti. Mora biti da si zaista bio dobar advokat", dodao je.

Napravio je malu pauzu kao da nije bio siguran šta mu je činiti sledeće, a zatim je nastavio. „Ako želiš, možeš da pođeš sa mnom kao moj gost, u naš hram. Nalazi se u skrivenom delu ovih planina, još uvek mnogo sati hoda odavde. Moja braća i sestre će te dočekati raširenih ruku. Radićemo zajedno da te naučimo antičkim principima i strategijama koje su naši preci prenosili s kolena na koleno tokom vekova.

„Pre nego što te uvedem u naš svet i podelim s tobom naše zajedničko znanje o ispunjavanju života sa više radosti, snage i smisla, moram da tražim da mi nešto obećaš", kazao je mudrac. „Nakon što naučiš te vanvremenske istine, moraćeš da se vratiš u svoju domovinu na zapadu i podeliš tu mudrost sa svima kojima je potrebno da je čuju. Iako smo mi ovde izolovani u ovim čarobnim planinama, svesni smo u kakvom je previranju tvoj svet. Dobri ljudi su izgubili svoj put. Moraš da im daš nadu koju zaslužuju. Još je važnije da im daš oruđe da ostvare svoje snove. To je sve sto tražim."

Džulijan je odmah prihvatio uslove i obećao da će preneti na zapad njihovu dragocenu poruku. Dok su se njih dvojica penjali sve više planinskom stazom ka izgubljenom selu Sivani, sunce je počelo da zalazi, plameni crveni krug lagano je odlazio na počinak nakon dugog, zamornog dana. Džulijan mi je rekao da nikada neće zaboraviti veličanstvenost tog trenutka, hodanje uz indijskog kaluđera kome ne mogu da se odrede godine i prema kome je na izvestan način osećao bratsku ljubav, na putu ka dugo traženom mestu punom čuda i mnogih misterija.

„Definitivno, to je bio najupečatljiviji trenutak mog života", priznao mi je. Džulijan je oduvek verovao da se život svodi na nekoliko prelomnih momenata. Ovo je bio jedan od njih. Duboko u sebi osećao je da je ovo bio prvi trenutak njegovog „novog" života, života koji je uskoro postao mnogo više od onoga što je ikad bio.

Četvrto poglavlje

Čaroban susret sa mudracima Sivane

Nakon mnogo sati hoda duž zamršenog lavirinta staza i tragova zaraslih u travu, putnici su stigli iznad bujne, zelene doline. S jedne strane dolinu su štitili snegom pokriveni Himalaji, kao vojnici na straži koji čuvaju mesto gde se odmaraju njihovi generali. Sa druge strane, rasla je gusta borova šuma, savršen poklon prirode ovoj čarobnoj zemlji fantazije.

Mudrac je pogledao Džulijana i ljubazno se nasmešio: „Dobrodošao u Nirvanu Sivane."

Spustili su se drugim, manje korišćenim putem u gustu šumu koja je prekrivala dno doline. Hladan, oštar planinski vazduh bio je ispunjen mirisom borovog i sandalovog drveta. Džulijan koji je sada bio bosonog da bi olakšao bol u stopalima, osetio je vlažnu mahovinu pod prstima. Iznenadio se videvši orhideje svih boja i skupine drugog divnog cveća kako lelujaju među drvećem, kao da uživaju u lepoti i krasoti ovog komadića raja.

Džulijan je mogao da čuje u daljini nežne, mekane, umirujuće glasove. Nastavio je da bešumno prati mudraca. Otprilike posle petnaest minuta hoda, stigli su do proplanka. Pred njim se pružao prizor kakav čak ni svetski obrazovan Džulijan Mentl, koga je teško bilo iznenaditi, ne bi mogao ni da zamisli – seoce napravljeno isključivo od nečega što je izgledalo kao ruže. U centru sela nalazio se mali hram, od one vrste koju je Džulijan viđao na svojim putovanjima po Tajlandu i Nepalu, ali ovaj hram je bio napravljen od crvenog, belog i ružičastog cveća isprepletenog sa dugačkim nizom višebojnih traka i grančica. Male kolibe načičkane okolo bile su domovi mudraca. I one su bile načinjene od ruža. Džulijan je zanemeo.

Kaluđeri koji su živeli u selu, izgledali su poput Džulijanovog saputnika, koji je sada otkrio da se zove Jogi Raman. Objasnio je da je on najstariji mudrac Sivane i vođa njihove grupe. Stanovnici ove kolonije snova izgledali su začuđujuće mladi i imali su držanje ljudi sigurnih u sebe i smisao svog postojanja. Niko od njih nije govorio, odabrali su da poštuju mir ovog mesta tako što će da obavljaju svoje zadatke u tišini.

Muškarci, kojih se pojavilo samo desetak, bili su obučeni u iste crvene tunike kao Jogi Raman i vedro su se smešili Džulijanu kada je ušao u njihovo selo. Svaki od njih izgledao je spokojan, zdrav i duboko zadovoljan. Kao da je napetost koja muči mnoge od nas u našem modernom svetu osetila da nije dobrodošla na tom skupu vedrine, pa je mimoišla to mesto. Iako je prošlo mnogo godina od kada se među njima pojavilo novo lice, ti ljudi su bili rezervisani u svojoj dobrodošlici, ponudivši samo jednostavan naklon kao pozdrav posetiocu koji je putovao tako daleko da bi ih pronašao.

Žene su bile jednako impresivne. Sa izuzetnom agilnošću užurbano su se kretale po selu obučene u ružičaste svilene sarije, sa belim cvetom lotosa kao ukrasom u njihovoj zift crnoj kosi. Ipak, to nije bio žestok posao kakav okupira život ljudi u našem društvu. To su bili mirni, dostojanstveni poslovi. Usredsređene na veru neke od njih su radile u hramu, pripremajući se za proslavu sličnu festivalu. Druge su sakupljale drva za potpalu i vezle bogate tapiserije. Sve su bile zauzete nekom produktivnom aktivnošću. I sve su izgledale srećno.

Lica mudraca Sivane su definitivno otkrivala moć njihovog načina života. Iako su bili u zrelim godinama života, svako od njih je zračio dečjom nepatvorenošću, oči su im blistale mladalačkom vitalnošću. Niko nije imao bore. Niko nije imao sedu kosu. Niko od njih nije izgledao star.

Ponudili su Džulijanu, koji je jedva mogao da veruje svojim očima, obilje svežeg voća i egzotičnog povrća, dijetu za koju je on kasnije shvatio da je jedna od ključnih stvari koje doprinose idealnom zdravlju kakvo su uživali mudraci. Nakon jela Jogi Raman je otpratio Džulijana do njegovog prebivališta, kolibe ispunjene cvećem u kojoj se nalazio mali krevet i na njemu prazna beležnica. To će biti njegov dom u doglednoj bu - dućnosti.

Iako Džulijan nikad pre nije video ništa slično ovom čarobnom svetu Sivane, imao je osećaj kao da se vratio kući, kao da se vratio u raj koji je nekad davno poznavao. Ovo selo-ružičnjak mu nije bilo strano. Intuicija mu je govorila da on tu pripada, makar i nakratko. To je mesto gde će on ponovo da pronađe životnu energiju koju je posedovao dok mu profesija pravnika nije ukrala dušu – utočište u kome će njegov slomljeni duh polako početi da se oporavlja. Tako je počeo Džulijanov život među mudracima Sivane, jednostavan život pun vedrine i harmonije. A najbolje je tek dolazilo.

Peto poglavlje

Duhovni
sledbenik mudraca

Snovi velikih sanjara se nikad ne ostvaruju,
oni su uvek nedokučivi.

Lord Alfred Vajthed

Bilo je 8 sati uveče i ja se još uvek nisam bio pripre-mio za suđenje sledećeg dana. Bio sam fasciniran iskustvom ovog bivšeg borca za pravdu koji je drama-tično izmenio svoj život nakon susreta s tim čudesnim indijskim mudracima. Razmišljao sam kako je to zadivljujuće i kakva je to izvanredna transformacija! Pitao sam se potajno da li bi tajne koje je Džulijan nau-čio u tim dalekim, skrivenim planinama mogle da unaprede i kvalitet mog života i obnove moj sopstveni smisao za čuda u svetu u kome mi živimo. Što sam duže slušao Džulijana, to sam više shvatao koliko je moj vlastiti duh zarđao. Šta se desilo sa onom neuobi-čajenom strašću sa kojom sam sve obavljao kad sam bio mlađi?

Tada me je čak i najjednostavnija stvar ispunjavala osećanjem radosti. Možda je došlo vreme da se ponovo pozabavim svojom sudbinom. Osetivši moju fasciniranost njegovom odisejom i moju želju da naučim da živim prosvetljenim životom, onako kako su njega naučili mudraci, Džulijan je ubrzao priču. Objasnio mi je kako je njegova žeđ za znanjem zajedno sa njegovom izoštrenom inteligencijom, rafinisanom tokom mnogih bitki koje je vodio u sudnici, doprinela da postane omiljeni član zajednice u Sivani. Da bi izrazili svoju naklonost prema Džulijanu, kaluđeri su ga proglasili za počasnog člana njihove grupe i odnosili su se prema njemu kao prema sebi ravnom.

Sa željom da proširi svoje znanje o tome kako radi um, telo i duša i da ovlada samim sobom, Džulijan je provodio svaki budan trenutak pod učiteljskom palicom Jogi Ramana. Mudrac mu je bio više kao otac ne - go učitelj, iako su po godinama bili skoro vršnjaci. Jasno je bilo da je taj čovek posedovao mudrost mnogih generacija, a najbolje od svega bilo je to što je želeo da je podeli sa Džulijanom.

Počinjali su pre zore. Jogi Raman bi seo sa svojim studentom entuzijastom i punio bi njegov um shva - tanjima o smislu života i malo poznatim tehnikama kojima je on ovladao da bi živeo vitalnije, kreativnije, ispunjenije. Naučio je Džulijana drevnim principima za koje je govorio da svako može da ih koristi da bi živeo duže, bio mlađi i mnogo srećniji. Zatim je Džulijan naučio kako zahvaljujući dvema sličnim mentalnim disciplinama – gospodarenjem samim sobom i odgovornošću prema samom sebi, može da spreči da se vrati u haos i krizu koji su obeležavali njegov život na zapadu. Kako su nedelje postajale meseci, on je počinjao da shvata bogate potencijale svog vlastitog uma, koji su čekali da budu probuđeni i iskorišćeni u više svrhe. Ponekad bi učitelj i student jednostavno sedeli i posmatrali sjaj sunca koje je izranjalo iz dubine zelenih livada daleko dole ispod njih. Ponekad bi se odmarali u tihoj meditaciji, uživajući u prednostima koje donosi tišina. Nekad bi šetali po borovoj šumi, raspravljajući o filozofiji i u uživajući u međusobnom društvu..

Džulijan je rekao da su se prvi znaci njegovog na - pretka osetili već nakon tri nedelje boravka u Sivani. Počeo je da opaža lepotu najobičnijih stvari. Sve je upijao, bez obzira da li je u pitanju divna zvezdana noć ili opčinjenost paukovom mrežom nakon kiše.

Njegov novi životni stil i nove navike u skladu sa tim, počeli su da imaju veoma dubok uticaj na njegov unutarnji svet. U roku od mesec dana od kako je počeo da primenjuje principe i tehnike mudraca, počeo je da gaji duboko osećanje spokoja i unutrašnje vedrine, osećanje koje mu je izmicalo tokom svih godina života na zapadu. Postao je veseliji, spontaniji, svakim danom sve življi i kreativniji.

Fizička vitalnost i duhovna snaga su bili direktna posledica promene u Džulijanovom mentalnom stavu. Njegovo nekad gojazno telo postalo je čvrsto i vitko, a bolesnu bledunjavost njegovog lica zamenio je blistavi sjaj zdravlja. Osećao je da bi mogao da učini bilo šta, da bude bilo šta i da oslobodi beskrajne potencijale koji, to je naučio, postoje unutar svakog od nas. Počeo je da voli život i da vidi božansko u svakom njegovom aspektu. Drevni sistem ove tajanstvene grupe kaluđera počeo je da rađa plodom.

Nakon pauze, kojom kao da je izražavao nevericu u svoju vlastitu priču, Džulijan je nastavio filozofski: „Džone, shvatio sam nesto veoma važno. Svet, a to uključuje i moj unutarnji svet, sasvim je posebno mesto. Došao sam, takođe, do zaključka da uspeh u spoljašnjem svetu ne znači ništa ako nemaš uspeha i iznutra. Postoji ogromna razlika između biti dobro i biti dobrostojeći. Kada sam bio vrhunski advokat ismejavao sam sve ljude koji su radili na tome da unaprede svoj subjektivan i objektivan život. 'Živi život' mislio sam. Ali naučio sam da gospodariti samim sobom i voditi trajnu brigu o umu, telu i duši, jeste osnova da bi se došlo do onog najvišeg u nama i da bi se živeo život iz snova. Kako možeš da brineš o drugima, ako ne brineš o samom sebi? Kako možeš da činiš dobra, ako se ne osećaš dobro? Ja ne mogu tebe da volim, ako ne volim samog sebe", dodao je.

Iznenada, Džulijan je postao zbunjen i pomalo uznemiren: „Nikada pre nisam nikome ovako otvorio srce. Džone, izvinjavam se zbog toga. To je samo zato što sam u tim planinama iskusio takvo pročišćenje i duhovno spoznavanje sila univerzuma, da osećam da i drugi treba da znaju to što ja znam."

Primetivši da je postalo kasno, Džulijan je brzo re - kao da odlazi i pozdravio me. „Džulijane, ne možeš sad da me ostaviš. Ja sam zaista uzbuđen da čujem mudrost koju si ti naučio na Himalajima i poruku za koju si obećao svojim učiteljima da ćeš je preneti na zapad. Ne možeš da me ostaviš u neizvesnosti – znaš da to ne mogu da podnesem.“

„Prijatelju moj, budi siguran da ću se vratiti. Ti me bar znaš, jednom kad počnem da pričam dobru priču, ja ne mogu da se zaustavim. Ali ti imaš posao koji moraš da obaviš, a ja imam neke privatne stvari o kojima moram da se pobrinem.“

„Onda mi reci samo jedno. Da li bi metode koje si ti naučio u Sivani bile uspešne i u mom slučaju?“

„Kada je učenik spreman, učitelj se sam pojavi“, stigao je brz odgovor. „Ti si, kao i mnogi drugi u našem društvu, spreman za mudrost koju zasada samo ja imam privilegiju da znam. Svako od nas treba da zna filozofiju mudraca. Svakom od nas ona može da koristi. Svako od nas mora da bude svestan da je savršenstvo naše prirodno stanje. Obećavam da ću podeliti njihova drevna znanja sa tobom. Budi strpljiv. Srešćemo se ponovo sutra uveče u ovo vreme kod tvoje kuće. Tada ću ti reći sve što treba da znaš da bi živeo daleko ispunjenijim životom. Da li je to u redu?“

„Pa dobro, ako sam živeo sve ove godine bez toga, pretpostavljam da me neće ubiti to što ću čekati još dvadeset i četiri časa“, odgovorio sam razočarano.

Tako je vrhunski advokat preobraćen u prosvetljenog Jogija sa istoka, otišao, ostavljajući me sa glavom punom pitanja bez odgovora i nedorečenih misli.

Sedeći mirno u svojoj kancelariji, shvatio sam koliko je naš svet zaista mali. Razmišljao sam o golemoj riznici znanja u koju čak nisam ni zavirio; o tome kakav bi to bio osećaj da ponovo pronađem slast života i radoznalost koju sam posedovao kad sam bio mlađi. Voleo bih da se osećam poletnijim i da budem pun neobuzdane energije. Možda bih i ja napustio profesiju pravnika. Možda i za mene postoji viši poziv. Duboko zamišljen, ugasio sam svetlo, zaključao vrata kancelarije i izašao napolje u gustu vrelinu još jedne letnje noći.

Šesto poglavlje

Mudrost lične promene

Ja sam umetnik življenja – moje
umetničko delo jeste moj život.

Suzuki

Kao što je i rekao, Džulijan se pojavio u mojoj kući sledeće večeri. Oko 7.15, čuo sam brzo kucanje na prednjim vratima moje kuće – projekat Kejp Kod sa odvratnim ružičastim roletnama zbog kojih je moja supruga smatrala da nam kuća izgleda kao iz časopisa „Arhitekčual dajdžest". Sam Džulijan je izgledao potpuno drugačije nego dan ranije. I dalje je pucao od zdravlja i širio oko sebe divan osećaj spokoja. Ali zbog odeće koju je nosio, osećao sam se pomalo nelagodno. Njegovo gipko telo prekrivala je dugačka crvena tunika sa plavom kapuljačom ukrašenom vezenim ornamentima. Uprkos vrelini julske večeri, kapuljača je prekrivala njegovu glavu.

„Pozdravljem te prijatelju", reče Džulijan pun entuzijazma.

„I ja tebe."

„Nemoj da me gledaš tako uplašeno, šta si očekivao da ću da obučem – Armanija?“

Obojica smo počeli da se smejemo, najpre tiho. Ubrzo je naše kikotanje preraslo u grohot. Džulijan očito nije bio izgubio onaj uvrnuti smisao za humor kojim me je tako davno zabavljao.

Kada smo seli u moju prenatrpanu ali ipak udobnu dnevnu sobu, primetio sam bogato ukrašenu drvenu brojanicu koja mu je visila oko vrata.

„Šta je to? Zaista je divna.“

„O tome kasnije“, rekao je, vrteći kuglice između pal-ca i kažiprsta. „Imamo o mnogo čemu da pričamo večeras.“

„Hajde da počnemo. Ništa nisam mogao danas da radim, bio sam tako uzbuđen zbog našeg susreta.“

Istog momenta Džulijan je počeo da priča otkrivajući kako se menjao i kako je to bilo jednostavno. Pričao mi je o drevnim tehnikama za kontrolu uma koje je naučio i o tome kako da izbrišemo naviku da brinemo koja je toliko raširena u našem društvu. Govorio je o mudrosti koju su delili Jogi Raman i ostali kaluđeri, mudrosti življenja jednim svrsishodnijim, bogatijim životom, i o nizu načina da se oslobodi izvor mladosti i energije koji je zakopan duboko u svakom od nas.

Uprkos tome što je ubeđenje sa kojim je govorio bilo jasno, ja sam postao skeptičan. Da li sam ja žrtva neke podvale? Na kraju krajeva, ovaj advokat obučen na Harvardu bio je nekad veoma poznat u firmi po svojim šalama. Zatim, njegova priča nije bila ništa manje nego fantastična. Razmislite: jedan od najpoznatijih advokata u ovoj zemlji, odustaje od dalje borbe, prodaje sva svoja ovozemaljska dobra, odlazi u Indiju radi duhovne odiseje, samo zato da bi se vratio kao mudri prorok sa Himalaja. To ne može da bude stvarno.

„Hajde, Džulijane. Prestani da me vučeš za nos. Čitava ta priča počinje da liči na neki od tvojih gegova. Kladim se da si iznajmio tu tuniku u nekoj od radnji za iznajmljivanje kostima u ulici preko puta moje kancelarije“, izlanuo sam zabrinuto se smešeći.

Džulijan mi je brzo odgovorio, kao da je očekivao moju nevericu. „Na sudu, kako dokazuješ tvoj slučaj?“

„Nudim uverljive dokaze.“

„Tačno. Pogledaj dokaze koje ti ja nudim. Pogledaj u moje glatko lice bez bora. Moju fizičku snagu. Možeš li da vidiš da sam oslabio? Obrati pažnju na moj mir. Sigurno možeš da vidiš da sam se promenio?“

Pogodio je cilj. Ovo je bio čovek koji je samo pre par godina izgledao stariji nekoliko decenija.

„Nisi se podvrgao plastičnoj hirurgiji, zar ne?“

„Ne“, smešio se. „Oni se usredsrede na spoljašnji izgled osobe. Meni je bilo potrebno da ozdravim iznutra. Moj neuravnotežen, haotičan način života doveo me je u veliku nevolju. To je bilo mnogo više od infarkta koji me je pogodio. Bio je to slom mog unutarnjeg bića.“

„Ali tvoja priča, to je tako misteriozno i neobično.“

Iako sam bio uporan, Džulijan je ostao miran i strpljiv. Uzeo je čajnik koji je stajao na stolu ispred njega i počeo da sipa čaj u moju šolju. Sipao je dok se šolja nije napunila – a onda je i dalje nastavio da sipa! Čaj je počeo da se preliva sa strane na tanjirić, a zatim na dragoceni persijski tepih moje žene. Prvo sam to posmatrao ćuteći. Zatim nisam više mogao da izdržim.

„Džulijane, šta to radiš? Moja šolja je prepunjena. Bez obzira na to koliko pokušavaš, više ne može da stane!", nestrpljivo sam uzviknuo.

Pogled mu se zadržao na meni. „Molim te nemoj da shvatiš ovo na pogrešan način. Zaista te poštujem, Džone. Oduvek sam. Ipak, kao i ova šolja i ti si izgleda pun tvojih vlastitih ideja. I kako onda može još da stane *dok ti prvo ne isprazniš svoju šolju?*"

Istinitost njegovih reči me je pogodila kao grom. Bio je u pravu. Mnoge godine sam u konzervativno pravničkom svetu radio iste stvari svakog dana sa istim ljudima, koji su svakog dana razmišljali na isti način i to je ispunilo moju šolju do vrha. Moja supruga Dženi mi je oduvek govorila da bi trebalo da srećemo nove ljude i istražujemo nove stvari. „Džone, volela bih da imaš makar malo više avanturističkog duha", rekla bi.

Ne mogu da se setim kada sam zadnji put čitao neku knjigu, a da nije imala veze sa pravom. Profesija je bila moj život. Shvatio sam da je sterilan svet u kome sam odrastao otupeo moju kreativnost i ograničio moje vidike.

„U redu. Shvatam šta želiš da kažeš", priznao sam. „Verovatno su sve ove godine mog rada u advokaturi učinile da postanem veliki skeptik. Od momenta kada sam te juče video u mojoj kancelariji, nešto duboko u meni mi je govorilo da je tvoja promena istinska i da u tome leži neka pouka za mene. Moguće da jednostavno nisam želeo da poverujem u to."

„Džone, večeras je prvo veče tvog novog života. Tražim od tebe samo da duboko razmisliš o mudrosti i strategijama koje ću podeliti sa tobom i da ih primenjuješ verujući u njih u periodu od mesec dana. Prihvati metode duboko verujući u njihov efekat. Postoji razlog zašto su preživele hiljade godina – one deluju."

„Mesec dana izgleda dugačko."

„Šest stotina i sedamdeset dva časa rada na sebi samom da bi se značajno unapredio svaki budan trenutak tvog preostalog života nije visoka cena, zar ne misliš tako? Ulaganje u samog sebe je najbolje ulaganje koje ćeš ikada da učiniš. To neće unaprediti samo tvoj život, već i život svih oko tebe."

„Kako to misliš?"

„Tek kad ovladaš umetnošću voljenja samog sebe, možeš iskreno da voliš druge. Tek kad otvoriš svoje srce, možeš da dotakneš srca drugih. Kada se osećaš živo i uravnoteženo, mnogo je lakše da budeš bolja osoba."

„Šta mogu da očekujem da se desi u tih šest stotina i sedamdeset dva časa koji čine mesec dana?", otvoreno sam pitao.

„Osetićeš zapanjujuće promene u načinu funkcionisanja tvog uma, tela, čak i duše. Imaćeš više energije, entuzijazma, unutarnje harmonije nego ikad pre u svom životu. Ljudi će početi da ti govore kako izgledaš mlađe i srećnije. Trajan osećaj blagostanja i ravnoteže vratiće se brzo u tvoj život. To su samo neke od dobrih strana Sivana sistema."

„Opa..."

„Sve što ćeš čuti večeras stvoreno je da bi ti poboljšao svoj život, ne samo lično i profesionalno već i u pogledu stanja duha. Saveti mudraca su aktuelni danas kao što su bili i pre pet hiljada godina. To neće samo da obogati tvoj unutarnji svet već će da popravi i tvoju objektivnu stvarnost i da te učini daleko efikasnijim u svemu što radiš. Ova mudrost je zaista najjača sila sa kojom sam se ikad sreo. Pogađa pravo u metu, praktična je i oprobana kroz vekove. I što je najvažnije svako može da je primeni. Ali pre nego što ovo znanje podelim sa tobom, moram da te zamoli da mi nešto obećaš."

Znao sam da će biti nekog uslovljavanja. „Nema nista džabe", govorila bi moja majka.

„Kada upoznaš snagu o kojoj ti pričam i veštine koje su meni pokazali mudraci Sivane i budeš video njihove dramatične rezultate u svom životu, moraćeš da ispuniš svoju misiju i preneseš tu mudrost na druge koji će imati koristi od toga. To je sve što tražim od tebe. Na taj način ćeš pomoći i meni da ispunim obećanje koje sam dao Jogi Ramanu."

Složio sam se bez razmišljanja, a Džulijan je počeo da me poučava sistemu koji je on smatrao svetim. Dok su tehnike kojima je Džulijan ovladao za vreme svog boravka u Sivani bile raznolike, srce Sivana učenja činilo je sedam osnovnih vrlina, sedam fundamentalnih principa koji su predstavljali ključ duhovnog prosvetljenja, lične odgovornosti i vođenja samog sebe kroz život.

Jogi Raman je bio prvi koji je sa Džulijanom podelio tih sedam principa, nakon nekoliko meseci njegovog boravka u Sivani. Jedne vedre noći, kada su svi ostali bili u dubokom snu, Raman je nežno zakucao na vrata Džulijanove kolibe. Glasom ljubaznog vodiča, izgovorio je: „Dugo vremena sam te pažljivo posmatrao Džulijane. Verujem da si ti pristojan čovek koji od sveg srca želi da ispuni svoj život sa svim što je dobro. Od kada si stigao, otvorio si se prema našoj tradiciji i prihvatio je kao svoju vlastitu. Upoznao si naše svakodnevne navike i video si njihove mnogobrojne zdrave efekte. Poštovao si naš način. Naš narod živi vekovima tim jednostavnim, mirnim životom, a naše metode nisu baš poznate. Svet treba da čuje našu filozofiju prosvetljenog načina života. Večeras, uoči početka trećeg meseca tvog boravka u Sivani, počeću da delim sa tobom naše učenje, ne samo radi tvoje koristi već u korist svih u tvom delu sveta. Sedeću sa tobom svakog dana kao što sam sedeo s mojim sinom kad je bio dete. Na žalost on je umro pre nekoliko godina. Njegovo vreme je došlo i ja nisam pitao zašto. Uživao sam u vremenu koje smo zajedno proveli i čuvam uspomene. Ja sad tebe doživljavam kao svog sina i zahvalan sam što će sve što sam ja naučio tokom mnogih godina razmišljanja u tišini, nastaviti da živi u tebi.“

Pogledao sam u Džulijana i video da su mu oči zatvorene, kao da se u mislima vratio u tu bajkovitu zemlju koja ga je blagoslovila znanjem.

„Jogi Raman mi je ispričao da se sedam vrlina za život preplavljen unutarnjim mirom, radošću, duhovnim bogatstvima nalaze u jednoj mističnoj priči. Ova priča je okosnica svega. Zamolio me je da zatvorim oči, kao što sam to sad uradio ovde na podu tvoje dnevne sobe. Zatim je rekao da zamislim sledeću scenu:

Sediš usred čarobne, bujne, zelene bašte. Bašta je is - punjena najlepšim cvećem koje si ikad video. Sve okolo je savršeno mirno i tiho. Sladi se senzualnim užicima ove bašte i osećaj se kao da imaš sve vreme ovog sveta da uživaš u ovoj prirodnoj oazi. Kad budeš pogledao oko sebe videćeš da se u centru ovog bajko- vitog vrta uzdiže crveni svetionik, visok šest spratova. Odjednom tišina u bašti biva prekinuta glasnim škri- panjem vrata koja se otvaraju u prizemlju svetio- nika. Posrćući izlazi skoro tri metra visok i oko četiri stotine kilograma težak japanski sumo rvač, koji ležerno luta posred vrta.

„Ima i dalje", smejuljio se Džulijan. „Japanski sumo rvač je skoro potpuno go. Ima samo ružičastu žicu kojom prekriva svoje genitalije."

Sumo rvač počinje da se kreće po bašti i nailazi na sjajnu zlatnu štopericu koju je neko ostavio tu pre mnogo godina. Oklizne se na nju i pada na zemlju uz ogromnu buku. Čini se da je pao u nesvest, leži miran i tih. Upravo kad pomisliš da je izdahnuo, on se budi podstaknut verovatno mirisom svežih žutih ruža koje cvetaju pored njega. Pun energije, skače na noge i in - stiktivno gleda na levu stranu. Zapanjen je onim što vidi. Primećuje kroz grmlje na samoj ivici bašte, vijugavu dugu stazu prekrivenu milionima svetlucavih dijamanata. Nešto ga tera da krene tom stazom i on kreće verujući u sebe. Staza ga vodi dole na put večne radosti i blaženstva.

Džulijan je bio razočaran kada je sedeći visoko na Himalajima pored kaluđera koji je spoznao život pun prosvetljenja, čuo ovu čudnu priču. Jednostavno, očekivao je da će čuti nešto šokantno, nešto što će ga podstaći na akciju, možda čak i ganuti do suza. Umesto toga sve što je čuo bila je luckasta priča o sumo rvaču i svetioniku.

Jogi Raman je primetio njegovu malodušnost: „Nikad nemoj da potcenjuješ moć jednostavnosti.

„Ova priča možda nije sofisticirana rasprava, kakvu si ti očekivao", reče kaluđer, „ali smisao njene pouke je u beskrajnoj osećajnosti i čednosti. Od dana kada si stigao, dugo sam razmišljao na koji način da podelim naše znanje s tobom. Najpre sam mislio da ti održim seriju predavanja u roku od mesec dana, ali sam onda shvatio da taj klasičan način ne odgovara čarobnoj prirodi znanja koja treba da stekneš. Zatim sam pomislio da zamolim svu moju braću i sestre da svakog dana provedu izvesno vreme sa tobom poučavajući te našoj filozofiji. Ali ni to, takođe, nije bio najefikasniji način da naučiš ono što moramo da ti kažemo. Nakon mnogo razmišljanja konačno sam došao do onoga što sam smatrao veoma kreativnim, a opet i izuzetno efikasnim načinom da podelim sa tobom ceo sistem Sivane i njegovih 7 načela – a to je eto ova mistična priča."

Dodao je: „Na prvi pogled to možda izgleda neozbiljno, čak i detinjasto. Ali, uveravam te da svaki elemenat priče ima duboko značenje i sadrži večna načela prosvetljenog života. Simboli tih načela su: bašta, svetionik, sumo rvač, ružičasta žica, štoperica, ruže i vijugava staza od dijamanata. Mogu da te uverim da ćeš, ako zapamtiš ovu malu priču i temeljne vrednosti koje ona predstavlja, imati sve što ti je potrebno da uzdigneš svoj život na najviši nivo. Imaćeš sve informacije koje su ti potrebne da bi zaista uticao na kvalitet svog života kao i na živote svih onih koji su u kontaktu s tobom. A kada budeš primenio ovu mudrost u svakodnevnom životu, osetićeš promenu – mentalnu, emotivnu, fizičku i duhovnu. Molim te utisni ovu priču duboko u svoj um i nosi je u srcu. Ona će dati rezultate samo ako je prihvatiš bez rezerve."

„Na svu sreću, Džone, ja sam to prihvatio. Karl Jung je jednom rekao: 'Vaša vizija će postati jasna onog trenutka kada budete u stanju da pogledate u svoje srce. Ko gleda izvan njega on sanja, a ko gleda unutra taj se budi.' Te posebne večeri, zagledao sam se duboko u svoje srce i postao svestan tajni o tome kako da obogatim um, negujem telo i hranim dušu. Sada je došao red na mene da svoje znanje podelim sa tobom."

Najčudesnija bašta

Većina ljudi živi koristeći veoma ograničeno svoje potencijale, bilo u domenu telesnog, intelektualnog ili moralnog. A svi mi imamo skrivene potencijale o kojima i ne sanjamo.

Vilijam Džejms

„U priči, bašta simbolizuje um", reče Džulijan. „Ako brineš o svom umu, ako ga neguješ i oplemenjuješ poput nekog plodnog, bogatog vrta, on će cvetati daleko iznad tvojih očekivanja. Ali ako dopustiš da zaraste u korov, nećeš nikada steći trajan mir i duboku unutarnju harmoniju.

„Džone, dopusti mi da te pitam nešto jednostavno. Ako odem iza kuće gde se nalazi bašta o kojoj si mi toliko pričao i bacim preko tvojih dragocenih petunija otrovne materije, ti ne bi bio oduševljen, zar ne?

„Naravno."

„U stvari, većina dobrih baštovana čuva svoje bašte poput ponosnih vojnika da bi bili sigurni da nikada ni-kakvo zagađenje neće prodreti unutra. Pa ipak, pogledaj kakvo sve đubre većina ljudi baca na plodno tlo svog uma, svakog božijeg dana: brige, uznemirenost, nagrizanje zbog prošlosti, crno razmišljanje o budućnosti i svi ti samonastajući strahovi koji stvaraju pustoš u tvom unutarnjem svetu. U maternjem jeziku mudraca Sivane, koji postoji hiljadama godina, pisani karakter koji označava brigu je jako sličan karakteru koji simbolizuje pogrebnu lomaču. Jogi Raman mi je objasnio da to nije slučajnost. Briga crpi snagu uma i pre ili kasnije ranjava i dušu.

„Da bi živeo maksimalno ispunjenim životom, moraš da čuvaš kapiju svoje bašte i da dopuštaš ulaz samo najboljim informacijama. Zaista ne možeš da priuštiš sebi luksuz negativnih misli – čak ni jedne jedine. Najveseliji, najdinamičniji, najzadovoljniji ljudi na ovom svetu se ne razlikuju od tebe ili mene sa spoljašnjeg aspekta. Svi smo mi meso i kosti. Svi dolazimo sa istog opšteg izvora. Ipak, oni koji traže više od života, oni koji rasplamsaju žar svojih potencijala i zaista osete ukus magije života razlikuju se od onih koji žive uobičajeno. Oni pre svega usvajaju pozitivan stav o svetu i svemu što je u njemu.

„Mudraci su me naučili da u prosečnom danu, prosečnoj osobi prođe kroz glavu oko šezdeset hiljada misli. Ali ono što me je zbilja zapanjilo jeste činjenica da su devedeset i pet posto tih misli, iste one od juče!“, objasnio je Džulijan.

„Ozbiljno misliš?“, pitao sam

„Veoma. To je tiranija skučenog načina razmišljanja. Ljudi koji svakog dana misle o istim stvarima, a uglavnom negativnim, imaju loše mentalne navike. Oni više vole da se drže svoje prošlosti nego da se koncentrišu na sve što je dobro u njihovim životima i da razmišljaju o načinima kako da to učine još boljim. Neki od njih brinu o propalim vezama ili finansijskim problemima. Drugi se grizu zbog svog ne tako savršenog detinjstva. Treći se opterećuju sitnicama kao što su: način na koji se prodavačica u radnji ophodila prema njima ili zlobni komentar saradnika. Oni koji razmišljaju tako dozvoljavaju da im briga uništi životnu energiju. Blokiraju ogromne potencijale uma i tako ga sprečavaju da stvara magiju i unosi u njihove živote sve što žele na emotivnom, fizičkom pa čak i duhovnom planu. Takvi ljudi nikad ne shvate da je upravljanje umom, osnova upravljanja životom.

„Način na koji ti razmišljaš, po navici je čist i jednostavan", nastavio je Džulijan ubedljivo. „Većina ljudi jednostavno ne shvata ogromnu moć svog uma. Na -učio sam da čak i najbolje istrenirani mislioci koriste samo jedan odsto svojih mentalnih rezervi. U Sivani, mudraci su se osmelili da redovno istražuju netaknute mogućnosti svojih mentalnih kapaciteta. I rezultati su bili zapanjujući. Jogi Raman je kroz redovnu i disciplinovanu praksu izvežbao svoj um do te mere da je bio u stanju da voljom uspori svoj puls. Čak se bio obučio da nedeljama ne spava. Ipak, ja ne bih predložio da to budu ciljevi kojima ćeš ti da težiš, savetovao bih ti da počneš da posmatraš svoj um kao najveći dar prirode – što on u stvari i jeste."

„Da li postoje neke vežbe koje ja mogu da radim da bih oslobodio snagu uma? Moć da usporim svoj puls, definitivno bi me učinila zvezdom na koktelima", drsko sam predložio.

„Džone, ne brini sada o tome. Objasniću ti neke praktične tehnike koje možeš kasnije da probaš, a koje će da ti pokažu moć ove drevne tehnologije. Za sada je važno da razumeš da se ovladavanje umom postiže samo vežbom. Većina nas u momentu rođenja poseduje iste sirovine. Ono što razlikuje ljude koji postignu više od drugih i one koji su srećniji od ostalih, jeste način na koji koriste i prerađuju te sirovine. Kada se posvetiš tome da izmeniš svoj unutarnji svet, tvoj život brzo prelazi iz domena običnog u domen neobičnog."

Iz momenta u momenat moj učitelj je postajao sve uzbuđeniji. Oči su mu blistale kada je govorio o magiji uma i o dobrobiti koju ona donosi.

„Znaš li, Džone, kada je sve rečeno i učinjeno, postoji samo jedna stvar nad kojom mi imamo apsolutnu dominaciju."

„Naša deca?", upitao sam smešeći se dobroćudno.

„Ne, prijatelju moj – naši mozgovi. Mi možda nismo u stanju da kontrolišemo vreme ili saobraćaj ili raspoloženje ljudi oko nas. Ali mi sigurno možemo da utičemo na naš stav u pogledu tih događanja. Svi mi imamo moć da odredimo o čemu ćemo da razmišlja - mo u svakom momentu. Ova sposobnost nas čini ljudskim bićima. Vidiš, jedna od najdragocenijih stvari koju sam naučio na mojim putovanjima po istoku ujedno je i jedna od najjednostavnijih."

Džulijan je tada napravio pauzu kao da rezimira neprocenjivi dar.

„I šta to može da bude?"

„Ne postoji tako nešto kao objektivna realnost ili 'stvarni svet'. Ne postoji apsolutno. Lice tvog najvećeg neprijatelja može da bude lice mog najboljeg prijatelja. Događaj koji nekome izgleda kao tragedija može za nekog drugog da bude izvor neograničenih mogućnosti. Ono što zaista deli ljude na one koji su po navici vedri i optimistični i one koji su stalno jadni, jeste način na koji oni interpretiraju i doživljavaju životne okolnosti."

„Džulijane, kako tragedija može da bude išta drugo sem tragedija?"

„Evo ti jedan primer. Kada sam putovao preko Kalkute, upoznao sam učiteljicu po imenu Malika Čand. Volela je da predaje i odnosila se prema svojim učenicima kao prema vlastitoj deci, negujući njihove potencijale sa velikom požrtvovanošću. Njen moto je bio: 'Vaše *mogu* je važnije od vašeg *koeficijenta inteligencije*.' U zajednici u kojoj je živela bila je poznata kao osoba koja živi da bi davala, koja nesebično pomaže svima kojima treba. Njena voljena škola koja je bila nemi svedok divnog napretka generacija dece, izgorela je jedne noći u požaru podmetnutom od strane nekog piromana. Svi su u zajednici osetili taj veliki gubitak. Ali kako je vreme prolazilo, njihov bes je zamenila apatija i oni su se pomirili sa činjenicom da će njihova deca biti bez škole."

„A Malika?"

„Ona je bila drugačija, večni optimista ako je to tamo ikad neko bio. Za razliku od svih iz njenog okruženja, ona je u tome što se desilo videla priliku. Rekla je roditeljima da svako zlo ima svoje dobro, ako utroše vreme da ga nađu. Ovaj događaj je u suštini bio dar. Škola koja je izgorela do temelja, bila je stara i oronula. Krov je prokišnjavao a pod se konačno ulegao pod teretom hiljada malih stopala koja su poskakivala po njegovoj površini. Ovo je bila šansa koju su čekali, da udruže snage kao zajednica i izgrade mnogo bolju školu, koja će služiti mnogo većem broju dece u narednim godinama. I tako zahvaljujući šezdesetčetvorogodišnjoj ženi koja je bila njihova pokretačka snaga, upravljali su zajedničkim sredstvima i sakupili dovoljno novca da izgrade blistavu novu školu koja predstavlja sjajan primer kako je moć vizije pobedila nesreću.“

„Znači to je poput one stare izreke o optimisti koji vidi čašu kao polupunu a ne kao poluprazni?“

„To je dobar način posmatranja stvari. Bez obzira šta se dešava u tvom životu, ti imaš mogućnost da izabereš kako ćeš to da prihvatiš. Kada stekneš naviku da tražiš pozitivno u svemu, tvoj život će krenuti ka vrhuncu. To je jedan od najvećih zakona prirode.“

„A sve počinje time što koristiš svoj um efikasnije?“

„Tačno, Džone. Bilo kakav uspeh u životu, bilo materijalne ili duhovne prirode potiče iz tvoje glave. Ili preciznije od misli koje ti prolaze kroz glavu svake sekunde svakog minuta u svakom danu. Tvoj spoljašnji svet je odraz stanja tvog unutarnjeg bića. Kontrolom misli koje ti padaju na um i načina na koji reaguješ na događaje u tvom životu, počinješ da kontrolišeš svoju sudbinu."

„To ima smisla, Džulijane. Pretpostavljam da je moj život postao tako brz da nisam imao vremena da razmišljam o ovakvim stvarima. Kada sam bio na fakultetu, moj najbolji prijatelj, Aleks, imao je običaj da čita inspirativne knjige. Govorio je da ga one motivišu i pune energijom da bi mogao da se suoči sa našim iscrpljujućim obavezama. Sećam se da mi je pričao kako je u jednoj od njih pisalo da je kineski karakter koji označava 'krizu' sastavljen od dva podkaraktera: jednog kojim se piše reč 'opasnost' i drugog kojim se piše reč 'prilika'. Rekao bih da su čak i stari Kinezi znali da i u najmračnijem tunelu postoji svetlo, samo ako imaš hrabrosti da ga potražiš."

„Jogi Raman je to formulisao na sledeći način: 'Ne postoje greške u životu, samo lekcije. Ne postoji negativno iskustvo, samo prilike da se razvijamo, učimo i napredujemo na putu ovladavanja samim sobom. U borbi se čeličimo. Čak i bol može da bude izvanredan učitelj.'"

„Bol?" Protestovao sam.

„Apsolutno. Da bi prevazišao bol, moraš prvo da ga iskusiš. Drugim rečima, kako možeš da se raduješ što si na vrhu planine ako pre toga nisi bio u najnižoj dolini. Shvataš poentu?"

„Da bi uživao u dobrom, moraš da upoznaš zlo?"

„Da. Ali predlažem da prestaneš da deliš događaje na pozitivne i negativne. Umesto toga, jednostavno ih doživi, proslavljaj i uči iz toga. Svaki događaj nudi svoju lekciju. Te male lekcije doprinose tvom unutarnjem i spoljašnjem razvitku. Bez njih bi bio zaglavljen na jednoj ravni. Razmisli o tome na primeru svog vlastitog života. Većina ljudi najviše nauči kroz najveće izazove. I ako dođeš do nekog rezultata koji nisi očekivao i osetiš se po malo razočaran, zapamti da zakoni prirode uvek osiguravaju da se kada se jedna vrata zatvore, druga otvore."

Džulijan je od uzbuđenja počeo da diže ruke uvis poput južnjačkog sveštenika na propovedi u svojoj crkvi. „Kada budeš stalno primenjivao ovaj princip u svakodnevnom životu i počeo da vežbaš svoj um da u svakom događaju vidiš nešto pozitivno i ohrabrujuće, odagnaćeš brigu zauvek. Prestaćeš da budeš rob svoje prošlosti. Umesto toga postaćeš graditelj svoje budućnosti."

„U redu, razumeo sam koncept. Svako iskustvo, čak i ono najgore nudi mi lekciju. Zato treba da otvorim svoj um da bi iz svakog događaja izvukao neku pouku. Na taj način ću postati snažniji i srećniji. Šta bi još mogao da učini skromni advokat srednje klase u cilju poboljšanja svog života?"

„Pre svega, da počneš da živiš u bogatstvu svoje mašte, a ne svojih uspomena."

„Objasni mi to ponovo."

„Hoću da kažem, da bi oslobodio potencijale svog uma, tela i duše, moraš prvo da obogatiš svoju maštu. Vidiš, stvari se uvek oblikuju dva puta: prvo u radionici uma a zatim, i samo tada, u stvarnosti. Ja to nazivam 'indigo štampom', pošto sve što stvoriš u svom spoljašnjem svetu ima svoj začetak u tvom duhovnom svetu na veoma slikovitom ekranu uma. Kada naučiš da kontrolišeš svoje misli i bujnu maštu, sve što na ovom svetu poželiš u potpunosti, neiskorišćeni potencijali će probuditi u tebi. Počećeš da oslobađaš pravu snagu svog uma da bi stvorio onu vrstu čarobnog života, koju verujem da zaslužuješ. Počevši od večeras, zaboravi na prošlost. Osmeli se i počni da misliš o sebi kao o nečem višem nego što je skup tvojih trenutnih okolnosti. Očekuj najbolje. Bićeš zadivljen rezultatima.

„Znaš Džone, svih tih godina koje sam proveo kao pravnik, mislio sam da znam mnogo. Proveo sam godine učeći u najboljim školama, čitajući svu stručnu literaturu do koje sam mogao da dođem, radeći na najboljim slučajevima. Sigurno je da sam bio pobednik u igri prava. Sada shvatam da sam gubio u igri života. Bio sam toliko okupiran jurnjavom za velikim zadovoljstvima u životu, da sam propuštao sitna. Nikad nisam pročitao remek-dela koja mi je otac preporučio da pročitam. Nisam izgradio ni jedno veliko prijateljstvo. Nikad nisam naučio da cenim dobru muziku. S obzirom na to sve, zaista mislim da sam jedan od srećnika. Infarkt je bio odlučujući momenat za mene, moj lični poziv na buđenje, ako tako hoćeš. Verovao ili ne, to mi je dalo drugu šansu da živim bogatijim, inspirativnijim životom. Poput Malike Čand, u mom bolnom iskustvu video sam priliku. I što je još važnije, imao sam hrabrosti da je iskoristim."

Video sam da je Džulijan fizički gledano postao mlađi, a iznutra duhovno mnogo mudriji. Shvatio sam da je ovo veče bilo mnogo više od zadivljujućeg razgovora sa starim prijateljem. Ovo veče moglo je da bude moj odlučujući trenutak i stvarna šansa za novi početak. Moj um je počeo da se bavi svim što je bilo pogrešno u mom životu. Tačno je da sam imao veliku porodicu i stabilan posao kao veoma poznat advokat.

Ali u momentima opuštanja znao sam da mora da postoji i nešto više. Morao sam da popunim tu prazninu koja je počela da obavija moj život.

Kada sam bio dete sanjao sam velike snove. Često sam zamišljao sebe kao sportskog junaka ili poslovnog magnata. Zaista sam verovao da ja mogu da uradim, imam ili budem šta god poželim. Setio sam se kako sam se osećao kao mlad momak koji odrasta na suncem okupanoj zapadnoj obali. Zabava je dolazila u vidu jednostavnih zadovoljstava. Bilo je zabavno provesti divno poslepodne u ronjenju ili vozeći bicikl po šumi. Bio sam veoma radoznao. Bio sam avanturista. Nije bilo granica u pogledu moje budućnosti. Pošteno govoreći, mislim da petnaest godina nisam osetio tu vrstu slobode i radosti. Šta se desilo?

Možda sam izgubio iz vida moje snove od kada sam odrastao i rezignirano počeo da se ponašam onako ka - ko se to od odraslih očekuje. Ili od kada sam se upisao na pravni fakultet i počeo da razgovaram na način na koji se to očekuje od advokata. U svakom slučaju, to ve - če pored Džulijana koji mi je otvorio svoje srce uz šolju hladnog čaja, odlučio sam da prestanem da trošim tako puno vremena zarađujući za život i počnem da provodim mnogo više vremena u osmišljavanju života.

„Izgleda kao da sam te naterao da počneš da razmišljaš o svom životu", primetio je Džulijan. „Počni za promenu da razmišljaš o svojim snovima, upravo onako kao kad si bio klinac. Džonas Salk je to najbolje rekao kada je napisao: 'Imao sam snove i imao sam noćne more. Prevazišao sam noćne more zahvaljujući snovima.' Džone, osmeli se da skineš prašinu sa svojih snova. Počni ponovo da poštuješ život i da slaviš sva njegova čuda. Probudi moć svog uma da bi uticao na to da stvari počnu da se dešavaju. Jednom kad uspeš u tome, univerzum će da se udruži sa tobom da bi činio čuda u tvom životu."

Džulijan je zatim posegnuo u dubinu svoje tunike i izvukao odatle malu kartu, veličine vizit karte, koja je bila pohabana duž ivica kao rezultat dugotrajne i konstantne upotrebe.

„Jednog dana, dok smo Jogi Raman i ja šetali tihom planinskom stazom, upitao sam ga ko je bio njegov omiljeni filozof. Odgovorio mi je da ih je bilo mnogo koji su uticali na njegov život i da mu je teško da izdvoji bilo koji od izvora njegove inspiracije. Ipak, postojao je jedan citat, koji je nosio duboko u svom srcu; jedan koji je obuhvatao sve vrednosti koje su mu prirasle za srce tokom života provedenog u tihom razmišljanju.

Na tom veličanstvenom mestu, duboko u srcu nedođije, taj učeni mudrac sa istoka podelio je to sa mnom. I ja sam takođe urezao te reči u moje srce. One me svakodnevno podsećaju na sve što jesmo i sve što možemo da budemo. Te reči potiču od velikog indijskog filozofa Patandžalija. Ponavljao sam ih glasno svakog jutra pre nego što bih seo da meditiram i to je veoma snažno uticalo na mene. Zapamti Džone, reči su verbalni oblik moći."

Tada mi je Džulijan pokazao kartu. Citat je glasio:

Kada vas motiviše neki veliki cilj, neki izvanredan projekat, vaše misli kidaju stege koje ih sputavaju, vaš um prevazilazi granice, vaša svest se širi u svim pravcima i vi ste u novom, velikom, divnom svetu. Uspavane snage, sposobnosti i talenti dolaze do izražaja i vi otkrivate da ste postali veća osoba nego što ste ikad sanjali da ćete biti.

U trenutku sam uvideo vezu između fizičke vitalnosti i mentalne agilnosti. Džulijan je bio savršenog zdravlja i izgledao je mnogo mlađe nego kad smo se upoznali. Zračio je i izgledalo je kao da njegova energija, entuzijazam i optimizam nemaju granice. Mogao sam da vidim da je umnogome promenio način života, ali bilo je jasno da se početak njegovog čudesnog preobražaja krije u mentalnim sposobnostima. Uspeh u spoljašnjem svetu zaista počinje uspehom iznutra. Promenivši način razmišljanja, Džulijan Mentl je izmenio svoj život.

„Džulijane, kako ja mogu da izgradim taj pozitivan, vedar i inspirativan mentalni stav? Nakon svih ovih godina moje rutine, mislim da su mi mentalne vijuge pomalo zarđale. Razmisli o tome, ja imam samo ne - znatnu kontrolu nad mislima koje mi prolaze kroz glavu", priznao sam iskreno.

„Um je divan sluga, ali užasan gospodar. Ako misliš negativno to je zato što se nisi brinuo za svoj um i odvojio vreme da ga uvežbaš da se usredsredi na dobro. Vinston Čerčil je rekao da 'veličina čoveka leži u njegovoj odgovornosti prema sopstvenim mislima.' To je oruđe uma za kojim tragaš. Zapamti da je um poput bilo kog drugog mišića u tvom telu. Ili ga koristiš ili ga gubiš."

„Hoćeš da kažeš da će moj um oslabiti ako ga ne vežbam?"

„Da. Posmatraj to na taj način. Ako želiš da ojačaš mišiće na ruci da bi postigli više, moraš da ih vežbaš. Ako hoćeš da ti mišići na nogama očvrsnu, moraš prvo da ih napregneš. Slično tome, tvoj um će činiti divne stvari za tebe samo ako mu dopustiš. Jednom kad naučiš da efikasno upravljaš njime, privući će sve što želiš u tvoj život. Imaćeš idealno zdravlje ako se na odgovarajući način brineš za njega. Ako tako zamišljaš i želiš, vratićeš se u prirodno stanje smirenosti i opuštenosti. Mudraci Sivane imaju jednu posebnu izreku: 'Ti si jedini koji određuje granice svog života.'"

„Džulijane, nisam siguran da to razumem."

„Prosvećeni mislioci su znali da njihove misli oblikuju njihov svet i da kvalitet nečijeg života proizlazi iz bogatstva njegovih misli. Ako želiš da živiš mirnijim, smislenijim životom moraš da razmišljaš na mirniji, smisleniji način."

„Džulijane, daj mi neku prečicu."

„Kako to misliš?", Džulijan me je ljubazno upitao, prelazeći svojim preplanulim prstima duž ruba svoje savršeno tkane tunike.

„Ja sam uzbuđen onim što sam čuo od tebe. Ali ja sam nestrpljiv. Zar nemaš neku vežbu ili tehniku koju mogu odmah ovde u mojoj dnevnoj sobi da koristim kako bih promenio način na koji koristim svoj um?“

„Prečice ne pomažu. Svaka trajna unutarnja promena traži vreme i napor. Upornost je osnova lične promene. Ne kažem da će trebati godine da bi se postigle značajne promene u tvom životu. Ako marljivo primenjuješ strategije koje ću da delim s tobom svakog dana u toku samo jednog meseca, bićeš zadivljen rezultatima.

Počećeš da koristiš svoje kapacitete do maksimuma i ući ćeš u domen čuda. Ali da bi dostigao taj nivo, ne smeš da se usredsrediš na rezultat. Umesto toga, uživaj u procesu ličnog razvoja i širenju vidika. Ironično je, ali što se manje budeš fokusirao na rezultat, on će brže doći.“

„Kako to?“

„To je poput klasične priče o mladiću koji je otputovao daleko od kuće da bi se obrazovao kod velikog učitelja. Kada je upoznao mudrog starca, prvo što ga je pitao bilo je: ’Koliko vremena mi treba da postanem mudar kao ti?’

„Odgovor je brzo stigao: ’Pet godina.’

„Dečak je odgovorio: ’To je veoma dugačak period. A šta bi bilo ako bih ja radio duplo napornije?’

„’Onda bi trajalo deset godina’, rekao je učitelj.

„’Deset! To je zaista predugo. A ako bih ja stalno učio ceo dan i noć?’

„’Petnaest godina’, reče mudrac.

„'Ne razumem', odgovori dečak 'Svaki put kad obećam da ću posvetiti više energije ostvarenju mog cilja, ti mi kažeš da će to duže da traje. Zašto?'

„'Odgovor je jednostavan. Ako si jednim okom usredsređen na odredište, ostaje ti samo drugo da te vodi na putu do njega.'"

„Savetniče, shvatio sam suštinu", priznao sam, „Zvuči kao priča mog života."

„Budi strpljiv i živi u ubeđenju da će sve što tražiš sigurno doći ako si spreman za to i ako to očekuješ."

„Ali, Džulijane, ja nikad nisam imao sreće. Sve što sam ikada dobio, dobio sam zahvaljujući goloj upornosti."

„Prijatelju, šta je to sreća?", Džulijan je ljubazno odgovorio. „To nije ništa drugo nego brak između pripreme i prilike."

Nežno je dodao: „Pre nego što ti otkrijem precizne metode koje su meni predali mudraci Sivane, prvo moram da ti kažem nekoliko ključnih principa. Pre svega, upamti da u koncentraciji leži koren ovladavanja umom."

„Ozbiljno?"

„Znam. I mene je to iznenadilo. Ali to je tačno. Naučio si da um može da obavi izvanredne stvari. Činjenica da imaš želju ili san, znači da imaš i odgovarajuće kapacitete da to ostvariš. Ovo je jedna od velikih univerzalnih istina do koje su došli mudraci Sivane. Ipak, da bi se oslobodila moć uma ti pre svega moraš da budeš u stanju da je ukrotiš i usmeriš samo na zadatak pred tobom. U momentu kada fokusiraš svoj um na jedan cilj, u tvom životu će se pojaviti izvanredni talenti."

„Zašto je tako važno da um bude skoncentrisan?"

„Dozvoli mi da ti ponudim jednu zagonetku koja će na lep način da odgovori na tvoje pitanje. Recimo da si se izgubio u šumi usred zime. Očajnički ti je potrebna toplota. Sve što imaš u svom rancu jeste pismo koje ti je poslao najbolji prijatelj, konzerva tunjevine i mala lupa koju nosiš da bi nadoknadio slab vid. Na sreću, uspeo si da nađeš suva drva za potpalu, ali nažalost nemaš šibice. Kako ćeš da upališ vatru?"

Bože moj, Džulijan me je zbunio. Nisam imao pojma šta da mu odgovorim.

„Odustajem."

„To je veoma prosto. Stavi pismo među suvo granje i drži lupu iznad toga. Zraci sunca će se fokusirati i na taj način upaliti vatru u sekundi."

„A šta je sa konzervom tunjevine?"

„Ah, to sam ubacio samo da bih ti odvukao pažnju od očiglednog rešenja." smešio se Džulijan.

„Ali suština primera je sledeća: Ako staviš pismo iznad suvog granja, to neće doneti nikakav rezultat. Ali vatra će se upaliti, čim staviš lupu da bi raspršene zrake sunca koncentrisao na pismo. Ova analogija je pri - menljiva i na um. Kada koncentrišeš njegovu ogrom- nu moć na određene smislene ciljeve, brzo ćeš inicirati plamen vlastitih potencijala i dobiti blistave rezultate."

„Kao na primer?", upitao sam.

„Samo ti možeš da odgovoriš na to pitanje. Šta je to što ti tražiš? Da li želiš da budeš bolji otac i da živiš ispunjenijim, uravnoteženijim životom? Da li želiš da budeš duhovno ispunjeniji? Da li su avantura i zabava ono što ti nedostaje? Razmisli o tome."

„A šta je sa večnom srećom?"

„Ili sve ili ništa", smeškao se Džulijan. „Ne može da počne od nečeg malog. Dobro, možeš i to da imaš."

„Kako?"

„Mudraci Sivane poznaju tajnu sreće već više od pet hiljada godina. Na moju radost bili su voljni da podele taj dar sa mnom. Da li želiš da je čuješ?"

„Ne, razmišljao sam da napravim pauzu i odem prvo do garaže da lepim tapete."

„Uh?"

„Džulijane, naravno da želim da čujem tajnu večne sreće. Zar to nije ono što na kraju krajeva svako traži?"

„Tačno. U redu evo je... mogu li da te zamolim za još jednu šolju čaja?"

„Daj, prestani da odugovlačiš."

„Dobro, tajna sreće je jednostavna: *Pronađi šta je to što zaista voliš da radiš i usmeri svu svoju energiju ka tome.* Ako proučiš najsrećnije, najzdravije, najzadovoljnije ljude našeg sveta, videćeš da je svako od njih pronašao strast svog života i da oni provode vreme baveći se time. To je skoro uvek poziv koji na neki način služi druge. Kad jednom skoncentrišeš svoju mentalnu snagu i energiju da slediš ono što voliš, izobilje će poteći tvojim životom i sve tvoje želje će se ispunjavati jednostavno i lako."

„Znači, jednostavno pronađi ono što te pokreće i radi to?"

„Ako je to vredno da se baviš time", odgovorio je Džulijan.

„Kako definišeš reč 'vredno'?"

„Kao što sam rekao Džone, tvoja strast mora na neki način da unapredi ili služi životima drugih. Viktor Frankl je to rekao mnogo elegantnije nego što bih ja ikad mogao, kad je napisao: 'Za uspehom, kao i za srećom ne može da se juri. On mora da dođe kao rezultat, samo kao nenameran posredni efekat nečije lične posvećenosti cilju većem od njega samog.' Jednom kada ustanoviš šta je tvoja misija u životu, tvoj svet će oživeti. Budićeš se svakog jutra sa beskrajnim rezervoarom energije i entuzijazma. Sve tvoje misli biće usmerene ka tvom konačnom cilju. Nećeš imati vremena za gubljenje. Dragocena mentalna energija se neće rasipati na tričarije. Automatski ćeš izbrisati naviku da brineš i postaćeš mnogo efektivniji i produktivniji. Interesantno, imaćeš takođe dubok osećaj unutarnje harmonije kao da si na neki način vođen da ostvariš svoju misiju. To je divan osećaj. Ja to volim." Džulijan je veselo objašnjavao.

„Fascinantno. Meni se dopada onaj deo o tome ka - ko ustaješ osećajući se dobro. Iskreno govoreći Džuli - jane, najveći broj dana ja poželim da ostanem u kreve - tu. To bi bilo mnogo bolje nego suočiti se sa saobraćajem, besnim klijentima, agresivnim protivnicima i konstantnim tokom negativnih uticaja. To me sve strašno umara."

„Da li znaš zašto većina ljudi tako puno spava?"

„Zašto?"

„Zato što zaista nemaju šta drugo da rade. Oni koji zorom ustaju, imaju svi nešto zajedničko."

„Nesanicu?"

„Baš zabavno. Ne, svi oni imaju cilj koji podstiče njihove unutarnje potencijale. Njihovi prioriteti ih vo - de, ali ne na nezdrav, opsesivan način. Tada je to još nežnije i bez ikakvog napora. Takvi ljudi proživljavaju svaki trenutak dajući svoj entuzijazam i ljubav onome čime se bave u životu. Njihova pažnja je potpuno usmerena na zadatak pred njima. I zbog toga ne postoji odliv energije. Takvi ljudi su najvitalnije osobe koje si ikada imao sreću da upoznaš."

„Odliv energije? Džulijane, to zvuči pomalo kao Novo doba. Kladim se da to nisi učio na harvardskom Pravnom fakultetu."

„Tačno. Mudraci Sivane su pioniri tog koncepta. Iako on postoji vekovima, njegova primena je danas jed - nako važna kao što je bila i prvi put. Previše nas se troši u bespotrebnoj i beskrajnoj brizi. To crpi našu prirodnu vitalnost i energiju. Da li si ikada video unutrašnju gumu na točku bicikla?"

„Naravno."

„Kada je potpuno napumpana, lako može da te od - vede do tvog odredišta. Ali ako negde ispušta, guma se prazni i tvoje putovanje se naglo završava. Isto tako radi i um. Briga prouzrokuje odliv tvoje dragocene mentalne energije i potencijala, jednako kao što unutrašnja guma ispušta vazduh. Uskoro ti ne preostaje ni malo snage. Isušeni su sva tvoja kreativnost, optimizam i motivacija i ti ostaješ iscrpljen."

„Poznat mi je osećaj. Često provodim vreme u haosu krize. U isto vreme treba da budem svuda i čini se da ne mogu nikoga da zadovoljim. Primećujem da se tih dana iako sam veoma malo fizički radio, zbog briga na kraju dana osećam potpuno iscrpljeno. Jedina stvar koju mogu da učinim kad se vratim kući jeste da sebi naspem čašu viskija i udobno se smestim u fotelju sa daljinskim upravljačem u ruci."

„Tačno. To je zbog previše stresa. Ipak, kad jednom pronađeš svoju svrhu, život postaje mnogo jednostavniji i daleko ispunjeniji zadovoljstvom. Kada shvatiš šta je zaista tvoj glavni cilj ili sudbina, više nikada u životu nećeš morati da radiš."

„Rana penzija?"

„Ne", reče Džulijan autoritativnim tonom kojim se služio u vreme kada je radio kao eminentni advokat. „Tvoj rad će biti igra."

„Zar neće da bude pomalo rizično za mene da na - pustim posao i krenem da tražim najvažniju svrhu i strast mog života? Mislim, imam porodicu i stvarne obaveze. Imam njih četvoro koji zavise od mene."

„Ne kažem da sutra treba da napustiš profesiju pravnika. Ipak, moraćeš da počneš da preuzimaš rizike. Prodrmaj malo svoj život. Skini paučinu. Idi putem ko - jim se ređe ide. Mnogi ljudi žive u granicama njihove zone komfora. Jogi Raman je bio prva osoba koja mi je objasnila da najbolje što možeš da uradiš za sebe jeste da pravilno iskoračiš iz tih okvira. Na taj način trajno ćeš ovladati sobom i shvatiti prave potencijale svojih ljudskih kvaliteta.“

„A šta to može da bude?“

„Tvoj um, tvoje telo i tvoja duša.“

„Dakle, kakve rizike treba da preuzmem?“

„Prestani da budeš tako praktičan. Počni da radiš ono što si oduvek želeo. Znam advokate koji su napustili svoj posao da bi postali pozorišni glumci, i računovođe koji su postali džez muzičari. U tome su pronašli duboku sreću koja im je tako dugo izmicala. Pa šta ako ne mogu više da idu dva puta godišnje na odmor i ako ne mogu da priušte sebi otmeni letnjikovac na Kajmanskim ostrvima? Preuzimanje predviđenog rizika će se mnogostruko isplatiti. Kako ćeš ikada da stigneš do treće baze* ako si jednom nogom u drugoj?“

„Shvatam poentu.“

„Razmisli na miru. Otkrij svoje prave razloge zašto si ovde i zatim imaj hrabrosti da se ponašaš u skladu s tim.“

„Džulijane, uz dužno poštovanje, ali sve što ja radim jeste da razmišljam. U stvari deo mog problema jeste to što previše razmišljam. Moj mozak uvek radi. Ispunjen je mentalnim brbljanjem, što me ponekad izluđuje.“

---

* baza – jedan od tri odbrambena polo`aja u bejzbolu – prim. prev.

„Drugačije je ono što ja predlažem. Svi mudraci Sivane svakodnevno provode vreme u tihom razmišljanju ne samo o tome gde su bili nego i gde su išli. Razmišljaju o svojoj svrsi i o svakodnevnom načinu života. Što je najvažnije, duboko i stvarno misle o tome kako da poboljšaju sledeći dan. Dnevni napredak dovodi do trajnih rezultata, što za uzvrat vodi ka pozitivnoj promeni."

„Znači treba da odvojim vreme da redovno razmišljam o svom životu?"

„Da. Čak će i deset minuta dnevno koncentrisanog razmišljanja, imati značajan uticaj na kvalitet tvog života."

„Ja razumem odakle ti dolaziš, Džulijane. Problem je što kad se meni jednom dan zahukta ja ne mogu da nađem ni deset minuta da ručam."

„Prijatelju, to što si rekao da nemaš vremena da poboljšaš svoje misli, to je kao da si rekao da nemaš vremena da se zaustaviš da kupiš benzin jer si previše zauzet vožnjom. Na kraju će te to stići."

„Da, znam. Ej, Džulijane, rekao si da ćeš da podeliš sa mnom neke tehnike", rekoh u nadi da ću naučiti ne - ke praktične načine za primenu mudrosti o kojoj sam slušao.

„Postoji jedna tehnika ovladavanja umom koja prevazilazi sve ostale. To je omiljena tehnika mudraca Sivane, koji su me podučavali o njoj sa velikom ljubavlju i poverenjem. Nakon što sam je primenjivao samo dvadeset i jedan dan osećao sam da imam više energije, entuzijazma i sjaja nego godinama pre.

Tehnika je stara preko četiri hiljade godina. Zove se srce ruže."

„Kaži mi više."

„Sve što ti treba da bi izvodio ovu vežbu jeste sveža ruža i tiho mesto. Prirodno okruženje je najbolje, ali i mirna soba će takođe biti dobra. Počni netremice da gledaš centar ruže, njeno srce. Jogi Raman mi je rekao da je ruža poput života: duž puta nailazićeš na trnje, ali ako veruješ u svoje snove na kraju ćeš preći preko trnja i stići do blistavog cveta. Nastavi da gledaš ružu. Uoči njenu boju, kvalitet i oblik. Oseti njenu krhkost i razmišljaj samo o tome kakvu divnu stvar imaš pred sobom. Na početku će druge misli ulaziti u tvoj um, odvlačeći tvoju pažnju od srca ruže. To je znak da je u pitanju neizvežbani um. Ali ne treba da brineš, napredak će brzo da stigne. Jednostavno vrati pažnju na ono što si fokusirao. Uskoro će tvoj um biti jači i disciplinovaniji."

„To je sve? Zvuči prilično jednostavno."

„Džone, u tome je čar", odgovorio je Džulijan. „Ipak, da bi bio efikasan, ovaj ritual mora da se ponavlja svakog dana. Prvih nekoliko dana biće ti teško da provedeš čak i pet minuta vežbajući. Većina nas živi tako frenetičnim tempom da su istinski mir i tišina nešto strano i neudobno. Većina ljudi će kad čuje ovo što pričam, da kaže da oni nemaju vremena da sede i zure u cvet. To su oni isti ljudi koji će da kažu da ne - maju vremena da uživaju u dečjem smehu ili da šetaju bosi po kiši. Oni kažu da su previše zauzeti da bi ra - dili takve stvari. Takvi ljudi čak nemaju vremena da stvaraju prijateljstva, jer prijateljstvo traži vreme."

„Ti znaš mnogo o takvim ljudima."

„Bio sam jedan od njih", reče Džulijan. Napravio je pauzu i mirno seo. Njegov intenzivni pogled bio je prikovan za dedin sat, koji je moja baka poklonila Ženi i meni za useljenje. „Kad razmišljam o ljudima koji žive na taj način, sećam se reči jednog starog britanskog pisca, čija dela je moj otac voleo da čita: 'Niko ne sme da dopusti da ga sat i kalendar zaslepe tako da ne vidi činjenicu da je svaki trenutak života čudo i misterija.'

„Budi uporan i provodi sve više vremena osećajući srce ruže", nastavio je Džulijan svojim dubokim glasom. „Nakon nedelju-dve bićeš u stanju da provedeš dvadest minuta vežbajući ovu tehniku a da ti um ne odluta na druge stvari. To će da bude prvi znak da ti preuzimaš kontrolu nad tvrđavom tvog uma. On će se tada fokusirati samo na ono na šta mu narediš. Biće divan sluga u stanju da uradi vanserijske stvari za tebe. Upamti, ili ti kontrolišeš tvoj um ili on kontroliše tebe.

„Praktično rečeno, opazićeš da se osećaš mnogo spokojnije. Napravićeš značajan korak u pravcu brisanja navike da brineš, koja muči većinu populacije, i imaćeš više energije i optimizma. Što je najvažnije primetićeš da osećaj radosti ulazi u tvoj život zajedno sa sposobnošću da ceniš mnoge darove koji te okružuju. Svakog dana, bez obzira na to koliko si zauzet i sa koliko se izazova suočavaš, vrati se srcu ruže. To je tvoja oaza. To je tvoje utočište. Tvoje ostrvo mira. Nemoj nikada da zaboraviš da moć leži u tišini i miru. Mir je odskočna daska za povezivanje sa univerzalnim izvorom inteligencije koja prožima svako živo biće."

Bio sam fasciniran onim što sam čuo. Da li je zaista moguće da tako jednostavnom strategijom značajno unapredim kvalitet mog života?

„Mora da postoji i nešto više nego što je srce ruže, što je dovelo do dramatičnih promena koje vidim na tebi", pitao sam se naglas.

„Da. To je tačno. U stvari, moja transformacija je došla kao rezultat složnog korišćenja jednog broja visoko efikasnih tehnika. Ne brini, sve su jednostavne po - put vežbe koju sam ti pokazao i jednako moćne. Ključ za tebe, Džone, jeste da otvoriš svoj um za tvoje potencijale da bi živeo životom koji je bogat mogućnostima."

Džulijan, večni izvor znanja, nastavio je da otkriva šta je naučio u Sivani. „Druga posebno dobra tehnika za oslobađanje uma od brige i drugih negativnih, životno-iscrpljujućih uticaja temelji se se na onome što Jogi Raman naziva Suprotno mišljenje. Naučio sam da po velikim zakonima prirode um može istovremeno da ima samo jednu misao. Probaj to na sebi, Džone, i videćeš da je istina."

Zaista sam probao i tačno je.

„Koristeći ovu malo poznatu informaciju, svako može lako da stvori pozitivan, kreativan način razmišlja - nja u kratkom periodu. Proces je direktan: kada neže - ljena misao zauzme centralno mesto u vašem umu, istog trena je zamenite drugom oplemenjujućom. To je kao da je vaš um džinovski projektor za slajdove, a svaka misao vašeg uma jedan slajd. Kad god se negativan slajd pojavi na ekranu, preduzmi brzu akciju i zameni ga pozitivnim.

„Tu dolazi do izražaja brojanica oko mog vrata", dodao je Džulijan sa povećanim entuzijazmom. „Svaki put kad uhvatim sebe da mislim negativno, skinem brojanicu i uklonim jednu kuglicu. Ove kuglice brige čuvam u jednoj kutiji u mom rancu. Zajedno, one mi služe kao nežni podsetnici da ja još uvek imam dosta da pređem na putu mentalnog ovladavanja samim sobom i odgovornosti za misli koje pune moj um."

„Hej, ovo je super! To je zaista praktična stvar. Nikad nisam čuo ništa slično. Reci mi nešto više o ovoj tehnici Suprotnog mišljenja."

„Evo ga stvaran primer iz života. Recimo da si imao težak dan u sudu. Sudija se nije složio sa tvojom interpretacijom zakona, druga strana u parnici je u zatvoru, a tvoj klijent je više nego nezadovoljan tvojom odbranom. Dolaziš kući, sedaš u omiljenu fotelju potpuno depresivan. Prvi korak je da budeš svestan kakve misli ti prolaze kroz glavu. Samospoznaja je kamen temeljac ovladavanja samim sobom. Drugi korak jeste da jednom zauvek shvatiš da isto tako lako kao što si dozvolio pristup crnim mislima, možeš da ih zameniš veselim. Zato misli suprotno. Koncentriši se na to da budeš veseo i pun energije. Osećaj se srećnim. Možda čak možeš da počneš da se smeješ. Kreći se onako kao što to činiš kada si radostan i pun entuzijazma. Sedi uspravno, duboko diši i usmeri moć svog uma ka pozitivnim mislima. U roku od nekoliko minuta uočićeš značajnu razliku u načinu na koji se osećaš. I što je još važnije, ako nastaviš da praktikuješ Suprotno mišljenje i primenjuješ to na svaku negativnu misao koja se iz navike pojavi u tvom umu, u roku od nekoliko nedelja videćeš da one više nemaju nikakvu moć. Razumeš na šta ciljam?"

Džulijan je nastavio da objašnjava: „Misli su vitalna, živa stvar, mali snopovi energije, ako hoćeš. Većina ljudi uopšte ne razmišlja o prirodi svojih misli, a ipak kvalitet naših misli određuje kvalitet našeg života. Mi - sli su podjednako deo materijalnog sveta kao i jezero u kome plivaš ili ulica po kojoj hodaš. Slab um teško da preduzima neku akciju. Jak, disciplinovan um kakav svako može da ima kroz svakodnevnu vežbu, može da čini čuda. Ako želiš da živiš maksimalno ispunjen život, vodi brigu o svojim mislima kao o svom najvećem blagu. Maksimalno se potrudi da ukloniš sve unutrašnje nemire. Bićeš bogato nagrađen."

„Džulijane, nikad nisam gledao na misli kao na nešto živo", odgovorio sam zadivljen tim otkrićem." „Ali mogu da vidim kako one utiču na svaki elemenat mog sveta."

„Mudraci Sivane čvrsto veruju da neko može samo da misli *sattvic* ili čiste misli. Došli su do tog nivoa po - moću tehnika koje sam ti upravo objasnio i drugih vež - bi kao što su prirodna dijeta, ponavljanje pozitivnih afirmacija ili 'mantri' kako ih oni zovu, čitanjem knjiga punih mudrosti i stalnom sigurnošću da se nalaze u prosvetljenom društvu. Ako bi samo jedna nečista misao prodrla u hram njihovih umova, oni bi kaznili sebe tako što bi putovali mnogo milja do zadivljujućeg vodopada i stajali pod ledeno hladnom vodom sve dok više ne bi mogli da izdrže tu hladnoću."

„Mislio sam da si mi rekao da su mudraci pametni. Stajanje ispod ledeno hladnog vodopada duboko u planinama Himalaja zbog jedne male negativne misli, čini mi se kao ekstremno ponašanje."

Džulijan je objašnjavao brzo odgovarajući, što je bio rezultat mnogih godina koje je proveo kao borac za pravdu, svetskog renomea: „Džone, biću uvredljivo iskren. Ti zaista ne možeš sebi da priuštiš luksuz ni jedne jedine negativne misli."

„Stvarno?"

„Stvarno. Brižna misao je poput embriona, počinje kao malo, a zatim raste i raste. Uskoro ima svoj vlastiti život."

Džulijan se zaustavio za momenat, a zatim se nasmešio. „Izvini ako izgledam po malo kao propoved-nik kad pričam o ovoj temi, o filozofiji koju sam nau-čio na tom putovanju. To je samo zato što sam otkrio neko oruđe koje može da poboljša život mnogih ljudi, ljudi koji se osećaju neispunjeni, nesrećni i bez inspi-racije. Malo podešavanje njihove dnevne rutine da bi upražnjavali tehniku Srce ruže i primenjivali Suprotno mišljenje, podariće im život kakav žele. Mislim da zaslužuju da to znaju.

„Pre nego što pređem sa bašte na sledeći elemenat mistične priče Jogi Ramana, moram da ti otkrijem još jednu tajnu koja će da ti predstavlja veliku pomoć u tvom ličnom razvoju. Tajna se zasniva na antičkom principu da se sve stvara dva puta, prvi put u umu, a drugi put u stvarnosti. Već sam rekao da su misli stvari, materijalne poruke koje mi šaljemo napolje da bi uticali na naš fizički svet. Takođe sam te obavestio da ako se nadaš da napraviš značajano poboljšanje u svom spoljnom svetu, moraš najpre da počneš iznutra i promeniš kalibar svojih misli.

„Mudraci Sivane imaju divan način da budu sigurni da su njihove misli čiste i zdrave. Ta tehnika je takođe visoko efikasna u pretvaranju njihovih želja u stvarnost ma kako one bile jednostavne. Metoda je uspešna za bilo koga. Biće uspešna za mladog advokata koji teži da ima puno para jednako kao i za majku koja traži bogat porodični život ili za prodavca koji teži da što više proda. Mudraci su ovu tehniku nazvali Tajna jezera. Da bi je primenili, ovi učitelji su ustajali u četiri sata ujutro, pošto su osećali da rano jutro poseduje magična svojstva koja mogu da im koriste. Mudraci bi tada putovali strmim i uskim planinskim stazama koje su ih vodile u niže predele regiona u kome su živeli. Kada bi tamo stigli sledili bi jedva vidljiv trag oivičen čarobnim borovima i egzotičnim cvećem dok ne bi stigli do proplanka. Na rubu proplanka nalazilo se plavo jezero prekriveno hiljadama tankih belih lotosa. Voda jezera bila je jako mirna i nepomućena. To je zaista bio čudesan prizor. Mudraci su mi rekli da je ovo jezero vekovima bilo prijatelj njihovih predaka.“

„Šta je to Tajna jezera?“, nestrpljivo sam upitao.

Džulijan mi je objasnio da bi mudraci gledali u mirnu vodu jezera sve dok vizija njihovih snova ne bi postala stvarnost. Ako je disciplina bila vrlina koju žele da razviju u životu, oni bi zamišljali sebe kako ustaju u zoru, izvode svoje rigorozne fizičke vežbe bez greške i provode dane u tišini kako bi ojačali snagu volje. Ako je ono što traže, više bila radost, gledali bi u jezero i zamišljali sebe kako se nekontrolisano smeju ili se smeše svaki put kad sretnu nekog od svoje braće ili sestara. Ako je hrabrost bila ono što žele, zamišljali bi sebe kako snažno deluju u trenucima krize i izazova.

„Jogi Raman mi je jednom ispričao da kao dečak nije posedovao samopouzdanje jer je bio sitniji od dečaka njegovog uzrasta. Dok su oni bili ljubazni i nežni prema njemu prenoseći uticaje njihove sredine, on je rastao nesiguran i stidljiv. Da bi izlečio tu slabost, Jogi Raman je putovao do ovog rajskog mesta i koristio jezero kao slikoviti ekran za vizije osobe kakva se nadao da će da postane. Nekada bi zamišljao sebe kao jakog vođu, kako stoji visok i govori moćnim, zapovednim glasom. Drugi put bi video sebe kakav želi da bude kad postane stariji: mudrac pun ogromne unutarnje snage i karaktera. Sve što je zamišljao da bi želeo da ima u životu, prvo je video na površini jezera.

„U roku od nekoliko meseci, Jogi Raman je postao osoba kakvom je sebe mentalno zamišljao da postaje. Vidiš Džone, um radi preko slika. Slike utiču na tvoju zamisao o samom sebi, a ta zamisao deluje na način na koji se ti osećaš, ponašaš i na ono što postižeš. Ako ti tvoja zamisao o samom sebi kaže da si ti premlad da bi bio uspešan advokat ili prestar da bi promenio svoje navike nabolje, ti nikad nećeš ostvariti te ciljeve. Ako ti tvoja samozamisao kaže da je život sa svrhom, izvanrednim zdravljem i srećom samo za ljude koji imaju poreklo različito od tvog, to proročanstvo će na kraju postati tvoja realnost.

„Ali ako ti na filmskom platnu svog uma gledaš in - spirativne, maštovite slike, divne stvari će početi da se dešavaju u tvom životu. Ajnštajn je rekao da je 'mašta važnija od znanja'. Ti moraš svakog dana da provedeš neko vreme, makar to bilo samo nekoliko minuta, vežbajući kreativnu vizuelizaciju. Zamisli sebe kakav bi želeo da budeš, bilo da to znači da radiš kao veliki sudija ili da budeš veliki otac ili veliki građanin u svojoj zajednici.“

„Da li treba i ja da pronađem posebno jezero da bi primenio Tajnu jezera?“, nevino sam upitao.

„Ne. Tajna jezera je jednostavno ime kojim su mudraci nazvali večnu tehniku korišćenja pozitivnih zamisli da bi se uticalo na um. Ti možeš da praktikuješ ovu metodu u tvojoj dnevnoj sobi ili čak u kancelariji ako to zaista želiš. Zatvori vrata, odloži sve pozive, za - tvori oči. Zatim duboko udahni nekoliko puta. Primetićeš da ćeš nakon dva-tri minuta početi da se osećaš opušteno. Zatim, zamisli mentalne slike svega što želiš da budeš, da imaš ili da postigneš u životu. Ako želiš da budeš najbolji otac na svetu, zamisli kako se smeješ i igraš sa svojom decom, odgovarajući otvo - renog srca na njihova pitanja. Zamisli kako se u napetim situacijama ponašaš velikodušno i s ljubavlju.

Mentalno vežbaj način na koji ćeš se ponašati u sličnim situacijama kada se dese u stvarnosti.

„Magija vizuelizacije može da se primeni na mnoge situacije. Možeš da je koristiš da bi bio efikasniji u sudnici, da bi ojačao svoje veze i duhovno se razvio. Trajno korišćenje ove metode doneće ti finansijske dobitke i obilje materijalnih dobara, ako ti je to važno.

Zapamti jednom zauvek da tvoj um ima moć da poput magneta privuče u tvoj život sve što želiš. Ako u tvom životu nešto nedostaje, to je zato što toga nema ni u tvojim mislima. Čuvaj divne slike u svom umu. Čak i samo jedna negativna slika truje način razmišljanja. Jednom kada iskusiš radost koju donosi ova drevna tehnika, razumećeš beskrajne potencijale svog uma i počećeš da oslobađaš energiju i sposobnosti koje su trenutno uspavane unutar tebe.“

To je bilo kao da Džulijan priča stranim jezikom. Nikada nikoga nisam čuo da priča o moći uma da poput magneta privlači duhovno i materijalno obilje. Niti sam ikada čuo nekoga da priča o snazi imaginacije i njenom beskrajnom uticaju na sve aspekte nečijeg života. Ipak, duboko u sebi verovao sam Džulijanovim rečima. To je bio čovek čije je rasuđivanje bilo besprekorno kao što su bile besprekorne i njegove intelektualne sposobnosti. To je bio čovek međunarodno poštovan zbog svoje pravne pronicljivosti. To je bio čovek koji je prešao put kojim sada ja idem. Bilo je potpuno jasno da je Džulijan pronašao nešto na svojoj odiseji po istoku. Njegova fizička vitalnost, očigledan spokoj i njegova transformacija bili su dokaz da bi bilo mudro da poslušam njegov savet.

Što sam više razmišljao o onome što sam čuo, to je imalo sve više smisla. Sigurno je da um mora da ima mnogo više potencijala nego što većina nas koristi. Kako bi inače majke mogle da podignu nepomična kola da bi spasle svoju uplakanu decu koja su pala pod njih? Kako bi inače ratoborni umetnici mogli jednim zamahom ruke da razbiju hrpu naslaganih cigli? Kako bi inače istočnjački jogiji mogli da voljom uspore puls ili da podnesu ogroman bol a da ne trepnu? Možda stvarni problem leži u tome što ja ne verujem u talente koje svako biće poseduje. Možda je ovo veče, kada sedim pored bivšeg advokata milionera koji se preobratio u kaluđera sa Himalaja, bila neka vrsta poziva da se probudim i počnem da živim svoj pravi život.

„Ali Džulijane, kako da radim te vežbe u kancelariji? Moji partneri misle da sam već dovoljno čudan ovakav kakav sam.“

„Jogi Raman i svi ljubazni mudraci sa kojima je on živeo, često su koristili citate koji su generacijama prenošeni sa kolena na koleno. Imam privilegiju da ih ja tebi prenesem večeras i ako mogu tako da kažem, ovo veče je postalo važno za nas obojicu. Citat je sledeći: 'Nema ničeg plemenitog u tome da budeš superioran nad nekim drugim. Prava uzvišenost jeste u tome da budeš nadmoćan nad svojim bivšim ja.' Ono što zaista želim da kažem jeste da ako želiš da poboljšaš svoj život i živiš sa svim onim što zaslužuješ, ti moraš da biješ svoju vlastitu bitku. Nije važno šta drugi ljudi kažu o tebi. Važno je šta ti kažeš samom sebi. Sve dok si siguran da je ono što činiš ispravno, nemoj da se obazireš na procene drugih ljudi. Možeš da radiš što god hoćeš sve dok je to u skladu sa tvojom savešću i tvojim srcem. Nemoj nikada da se stidiš da radiš ono što je ispravno. Izaberi ono što ti misliš da je dobro i drži se toga. I za boga miloga, nemoj nikada da stekneš naviku da vrednuješ sebe prema kriterijumima drugih. Kao što je Jogi Raman uvek govorio: 'Svaku sekundu koju provedeš razmišljajući o tuđim snovima, oduzimaš od svojih vlastitih.'"

Bilo je sedam minuta posle ponoći. Začudo, nisam uopšte bio umoran. Kada sam to rekao Džulijanu, ponovo se nasmešio. „Naučio si još jedan princip prosvetljenog života. U većini slučajeva, umor je kreacija uma. Umor dominira životima onih koji žive bez usmerenja i snova. Dozvoli da ti dam jedan primer. Da li ti se ikada desilo da popodne, dok u kancelariji čitaš suvoparne izveštaje, tvoj um počne da luta a ti se osećaš pospano?"

„S vremena na vreme", odgovorio sam, ne želeći da otkrijem činjenicu da je to bio moj način opstanka. „Sigurno se većina ljudi oseća pospano kad radi uobičajene stvari."

„Ipak, ako te prijatelj pozove telefonom i upita da li želiš uveče da ideš na utakmicu ili zamoli za savet u vezi njegovog igranja golfa, ne sumnjam da ćeš živnuti. Nestaće i najmanji trag tvog umora. Da li je to ispravna procena?"

„Jeste, savetniče."

Džulijan je znao da je na pravom putu. „Tako tvoj umor nije bio ništa drugo već mentalna tvorevina, loša navika koju je tvoj um razvio kao potporu sebi, kada se ti baviš dosadnim stvarima. Ti si večeras očigledno opčinjen mojom pričom i željan da usvojiš mudrost koja je meni otkrivena. Tvoj interes i mentalni fokus ti daju energiju. Večeras tvoj um nije bio ni u prošlosti, ni u budućnosti. Bio je direktno koncentrisan na sadašnji trenutak, na naš razgovor. Ako stalno usmeravaš svoj um da živi u sadašnjosti, uvek ćeš imati bezgranično puno energije, bez obzira na to koje vreme sat pokazuje."

Klimnuo sam glavom odobravajući. Džulijanova mudrost je izgledala toliko očigledna, iako mi mnogo toga nikad nije palo na pamet. Pretpostavljam da zdrav razum nije baš uvek zdrav. Razmišljao sam o onome što mi je otac govorio dok sam odrastao: „Naći će samo onaj koji traži." Želeo bih da je on pored mene.

Poglavlje 7 – Rezime
• Džulijanova mudrost u najkraćim crtama

| Simbol |

| Svojstvo | Ovladati sopstvenim umom

| Mudrost |

• Negujte svoj um – cvetaće iznad vaših očekivanja

• Kvalitet vašeg života određen je kvalitetom vaših misli

• Ne postoje greške – samo lekcije. Posmatrajte privremeni neuspeh kao mogućnost ličnog razvoja i duhovnog rasta

| Tehnike |

• Srce ruže

• Suprotno mišljenje

• Tajna jezera

Citat

Tajna sreće je jednostavna: Pronađi šta je to što zaista voliš da radiš i usmeri svu svoju energiju ka tome. Jednom kad sabereš svoju mentalnu snagu i energiju da slediš ono što voliš, izobilje će poteći tvojim životom i sve tvoje želje će se ispunjavati jednostavno i lako.

Kaluđer koji je prodao svoj ferari

Osmo poglavlje

Plamen unutrašnje vatre

Verujte sebi. Organizujte život na način
na koji ćete biti srećni da živite celog
života. Izgradite sebe pretvaranjem malih
unutrašnjih mogućnosti u velika dostignuća.
                                    Foster S. MekKlilan

„Dan kada mi je Jogi Raman ispričao svoju malu mističnu priču na vrhu Himalaja u stvari je po mnogo čemu veoma sličan današnjem danu", reče Džulijan.

„Stvarno?"

„Naš susret je počeo uveče i nastavio se do duboko u noć. Između nas dvojice postojala je takva hemija da je izgledalo kao da je vazduh naelektrisan. Kao što sam ti ranije pomenuo, od prvog trenutka kada sam sreo Ramana osećao sam kao da je on brat koga nikada nisam imao. Večeras, sedeći ovde sa tobom i uživajući u zainteresovanosti koja se ocrtava na tvom licu, osetio sam istu energiju i povezanost. Reći ću ti, takođe, da sam uvek od kako smo postali prijatelji, mislio o tebi kao o mlađem bratu. Iskreno da ti kažem, vidim u tebi dobar deo sebe."

„Džulijane, ti si bio zadivljujući advokat. Nikad ne - ću zaboraviti tvoju efikasnost."

Bilo je očigledno da on nije zainteresovan da istražuje svoju prošlost.

„Džone, voleo bih da nastavim da delim sa tobom elemente Jogi Ramanove priče, ali pre nego što to učinim, moram da potvrdim nešto. Već si naučio jedan broj duboko delotvornih načina lične promene, koji će činiti čuda ako ih stalno primenjuješ. Večeras ću ti ja otvoriti srce i otkriti sve što znam, kao što mi je i dužnost. Želim samo da budem siguran da u potpunosti razumeš koliko je važno da ti za uzvrat preneseš ovu mudrost svima koji traže takvo vođstvo. Živimo u veoma problematičnom svetu u kome je negativno svuda prisutno. Mnogi u našem društvu plutaju poput brodova bez kormilara; to su umorne duše koje traže svetionik koji će ih sačuvati da se ne razbiju o stenovitu obalu. Ti moraš da služiš kao njihov kapetan. Imam poverenja u tebe da ćeš preneti poruku mudraca Sivane svima kojima je potrebna."

Nakon što sam razmislio, čvrsto sam obećao Džu - lijanu da prihvatam tu obavezu.

On je potom strastveno nastavio.

„Lepota čitave vežbe jeste u tome da što se više trudiš da poboljšaš život drugih, time i sopstveni život se uzdižeš do najviših nivoa. Ova istina se zasniva na antičkoj paradigmi izvanrednog života."

„Sav sam se pretvorio u uvo."

„U osnovi, mudraci sa Himalaja slede u životu jednostavno pravilo: Onaj koji najviše daje od sebe, najviše plodova ubire, emotivno, fizički, mentalno i du - hovno. To je put koji vodi ka unutarnjem spokoju i spoljašnjem ispunjenju."

Jednom sam pročitao da su ljudi koji spoznaju druge mudri, ali oni koji spoznaju sebe prosvećeni su. Ovde sam možda po prvi put video čoveka koji zaista poznaje sebe, verovatno do maksimuma. Jednostavno odeven, sa poluosmehom mladog Bude na svom licu, Džulijan Mentl je izgledao kao da ima to sve: idealno zdravlje, sreću i svest o svojoj ulozi u kaleidoskopu univerzuma. A ipak, ništa materijalno nije posedovao.

„Ovde dolazimo do svetionika", reče Džulijan ostajući skoncentrisan na zadatak pred sobom.

„Pitao sam se kakve to veze ima sa pričom Jogi Ramana."

„Pokušaću da ti objasnim", odgovorio je, zvučeći više kao profesor u dobroj školi nego kao advokat koji se odrekao razvratnog života i preobratio u kaluđera.

„Naučio si za sada, da je um kao plodna bašta koju da bi cvetala, moraš svakodnevno da neguješ. Nemoj nikada da dozvoliš da bašta tvog uma zaraste u korov nečistih misli ili dela. Budi čuvar na kapiji svog uma.

Održavaj ga zdravim i jakim – činiće čuda u tvom životu samo ako ti to budeš dozvolio.

„Setićeš se da se u sredini bašte uzdiže veličanstveni svetionik. Ovaj simbol će te podsetiti na još jedan antički princip prosvetljenog života: *Svrha života jeste ži - vot sa smislom.* Oni koji su zaista prosvetljeni znaju šta žele od života, emotivno, materijalno, fizički i duhovno. Jasno definisani prioriteti i ciljevi za svaki aspekt tvog života imaće ulogu sličnu onoj koju ima svetionik, koji nudi putokaz i utočište kada more postane surovo. Vidiš Džone, svako može da iz korena izmeni svoj život, kada korenito izmeni pravac kojim se kreće. Ali ako ti čak i ne znaš kuda ideš, kako ćeš ikada znati da si tamo stigao?“

Džulijan me je vratio u vreme kada je Jogi Raman sa njim proučavao ove principe. Tačno se setio reči mudraca. „Život je zabavan“, primetio je Jogi Raman. „Neko bi pomislio – što čovek manje radi to ima više šanse da iskusi sreću. Međutim, stvarni izvor sreće može da se izrazi jednom rečju: *ostvarenje*. Izvor trajne sreće jeste uporan rad na ispunjenju svojih ciljeva i sigurno napredovanje u smeru ostvarenja svrhe života. To je tajna kojom se rasplamsava vatra koja tinja u tebi. Shvatam da može da izgleda više nego ironično činjenica da si putovao hiljadama milja od tvog društva, usmerenog na dostignuća, samo da bi razgovarao sa grupom mističnih mudraca koji žive visoko na Hima - lajima i naučio da večna tajna sreće može da se otkrije u ostvarenjima, ali to je tačno.“

„Kaluđeri zaluđeni radom?“, šaljivo sam upitao.

„Sasvim suprotno. Iako su mudraci bili izvanredno produktivni ljudi, njihova produktivnost nije bila frenetična. Umesto toga bila je više mirna, usredsređena, poput Zena.“

„Kako to?“

„Sve što su radili imalo je svrhu. Iako su bili izvan modernog sveta i živeli duboko duhovnim životom, bili su veoma produktivni. Neki su provodili dane usavršavajući filozofske rasprave, drugi su stvarali maštovite, izražajno bogate poeme koje su podsticale njihovu kreativnost i predstavljale intelektualni izazov. Treći su provodili vreme u tišini dubokog razmišljanja, izgledajući kao osvetljene statue koje sede u drevnoj lotos pozi. Mudraci Sivane nisu gubili vreme. Njihova kolektivna svest govorila im je da njihovi životi imaju svrhu i da je njihova dužnost da je ispune.

„Ovo mi je Jogi Raman rekao: 'Ovde u Sivani gde izgleda kao da je vreme stalo, možda ćeš se pitati šta bi bilo potrebno grupi jednostavnih mudraca koji ništa ne poseduju, ili šta se nadaju da će da ostvare? Ali ostvarenje ne sme da bude materijalne prirode. Lično, moji ciljevi su da ostvarim duševni mir, ovladavanje samim sobom i prosvetljenje. Ako ne uspem da to ostvarim do kraja života, siguran sam da ću umreti osećajući se neispunjeno i nezadovoljno.'"

Džulijan mi je rekao da je to bio prvi put da je čuo bilo koga od svojih učitelja u Sivani da pominje njihovu sopstvenu smrtnost. „I Jogi Raman je to osetio po mom izrazu. Kazao je: 'Prijatelju moj, ne smeš da se brineš. Ja sam već prešao stotu i nemam nameru da brzo odem. Poenta je jednostavna. Kad tačno znaš koje ciljeve želiš da ostvariš u toku života, bilo da su materijalni, emotivni, fizički ili duhovni, i provodiš vreme u postizanju toga, ti ćeš konačno naći večnu radost. Tvoj život će biti jednako dobar kao i moj i ti ćeš spoznati sjajnu stvarnost. Ali moraš znati šta je svrha tvog života i zatim stalnim delovanjem ostvarivati tu viziju u stvarnosti. Mi mudraci to nazivamo *Darma* što na sanskritu znači *smisao života.*"

„Ispunjenjem moje *Darme,* biću zadovoljan celog života?", upitao sam.

„Sasvim sigurno. Iz *Darme* izvire unutarnja harmonija i trajno zadovoljstvo. *Darma* se zasniva na drevnom principu koji kaže da svako od nas ima herojsku misiju dok postojimo na Zemlji. Svima nam je dat jedinstveni skup darova i talenata koji su spremni da nam pomognu da ostvarimo svoje životno delo. Ključ je u tome da ih otkrijemo, a radeći na tome otkrivamo glavnu svrhu našeg života."

Prekinuo sam Džulijana: „To je isto kao ono što si govorio ranije o preuzimanju rizika."

„Možda jeste, možda nije."

„Ne shvatam."

„Da, to možda izgleda kao da si ti prisiljen da preuzmeš neke rizike da bi otkrio u čemu si najbolji i šta je osnovni smisao tvog života. Mnogi ljudi napuštaju poslove koji ih guše onog časa kad otkriju pravi smisao svog postojanja. Uvek postoji prividan rizik koji se javlja kod istraživanja samog sebe i traženja duše. Ali samo prividan, jer nikada ne postoji rizik u otkrivanju sebe i misije svog života. Poznavanje samog sebe jeste DNK samoprosvetljenja. To je veoma dobro, u stvari to je esencijalna stvar."

„Džulijane, šta je tvoja *Darma?*", ležerno sam upitao, pokušavajući da prikrijem svoju goruću znatiželju.

„Jednostavna je: da nesebično služim druge. Zapamti, nećeš naći istinsku radost u spavanju, odmaranju ili provodeći vreme u besposličarenju. Kao što je rekao Bendžamin Disraeli: 'Tajna uspeha leži u postojanosti smisla.' Sreća za kojom tragaš dolazi kao odraz tvoje posvećenosti vrednim ciljevima i svakodnevne aktivnosti na njihovom ostvarivanju i unapređivanju. Ovo je direktna primena večne filozofije koja kaže da ono što je najvažnije nikad ne treba da bude žrtvovano zbog manje važnih stvari.

„Svetionik iz priče Jogi Ramana će te uvek podsećati na moć određivanja jasno definisanih smislenih ciljeva i, što je još važnije, na posedovanje jakog karaktera da bi se delovalo u skladu sa njima."

U toku nekoliko narednih sati, naučio sam od Džulijana da svi duboko zreli, potpuno ostvareni ljudi razumeju koliko je važno da istražuju svoje talente, otkrivaju svoje lične misije, a zatim upotrebe darove koje im je priroda dala u smeru tog poziva. Neki ljudi nesebično služe čovečanstvu kao lekari, drugi kao umetnici. Neki otkriju da su jaki u komunikaciji pa postanu divni učitelji, dok drugi shvate da će njihova ostavština biti u obliku inovacija na polju privrede ili nauke. Ključ je u tome da si disciplinovan i imaš viziju svoje herojske misije i da budeš siguran da to služi dobrobiti drugih sve dok se ti time baviš.

„Da li je to u formi postavljanja ciljeva?"

„Postavljanje ciljeva je početna tačka. Detaljno isplanirati svoje ciljeve znači osloboditi stvaralački instinkt koji te vodi na put ostvarenja tvoje misije.

Verovao ili ne, Jogi Raman i ostali mudraci su bili veoma zainteresovani za ciljeve."

„Zezaš me. Visoko produktivni kaluđeri koji žive duboko u planinama Himalaja i meditiraju celu noć, a određuju ciljeve ceo dan. Dopada mi se to!"

„Džone, sudi uvek prema rezultatima. Pogledaj me. Ponekad ja sam sebe ne prepoznajem kada se pogledam u ogledalu. Moj nekadašnji neispunjen život zamenio je nov, bogat avanturama, misterijom i uzbuđenjem. Ja sam ponovo mlad i savršeno zdrav. Istinski sam srećan. Mudrost koju delim sa tobom je *tako* moćna i *tako* važna i *tako* daje život da ti jednostavno moraš da budeš otvoren za nju."

„Ja *jesam* Džulijane, zaista jesam. Sve što si rekao je savršeno smisleno iako neke tehnike zvuče pomalo čudno. Ali obećao sam da ću probati i hoću. Slažem se da je ovo saznanje moćno."

„Ako sam ja video dalje nego drugi, to je samo zato što sam imao velike učitelje", skromno je odgovorio Džulijan. „Evo ga drugi primer. Jogi Raman je bio stručnjak u streljaštvu, pravi majstor. Da bi ilustrovao svoju filozofiju o važnosti određivanja jasno definisanih ciljeva u svakom aspektu života i ispunjavanju misije, dao mi je primer koji nikada neću zaboraviti.

„Blizu mesta gde smo mi sedeli, raslo je divno stablo hrasta. Mudrac je izvukao jednu ružu iz venca koji je po navici nosio i stavio je u sredinu debla. Zatim je izvukao tri predmeta iz velikog ranca koji je uvek nosio kad se upuštao u avanturu otkrivanja udaljenih planinskih predela poput ovoga gde smo sedeli. Prvi predmet je bio njegov omiljeni luk napravljen od čudesno lomljivog a ipak čvrstog sandalovog drveta. Drugi predmet je bila strela. Treći predmet je bila savršeno bela maramica – od one vrste koju sam ja nosio uz moja skupa odela da bih impresionirao sudije i porotu", dodao je Džulijan kao da se izvinjava.

Jogi Raman je zatim zamolio Džulijana da veže maramicu oko njegovih očiju kao povez.

„Koliko sam udaljen od ruže?", upitao je Jogi Raman svog učenika

„Oko trideset metara", nagađao je Džulijan.

„Da li si me ikada posmatrao dok svakodnevno vežbam ovu drevnu veštinu gađanja lukom i strelom?", pitao je mudrac, potpuno svestan odgovora koji će uslediti.

„Video sam te kako pogađaš sredinu mete sa udaljenosti od oko stotinu metara i uopšte se ne sećam da sam te ikada video da si promašio sa ove udaljenosti", primetio je Džulijan s poštovanjem.

Tada je očiju prekrivenih povezom, čvrsto se oslanjajući nogama na zemlji, učitelj napeo luk svom snagom i odapeo strelu – ciljajući direktno ružu koja je visila sa stabla. Strela je muklim udarcem pogodila veliki hrast, promašivši svoju metu za neprijatno veliku udaljenost.

„Mislio sam, Jogi Raman da ćeš da pokažeš više od tvoje magične sposobnosti. Šta se dogodilo?"

„Došli smo na ovo izolovano mesto, samo iz jednog razloga. Složio sam se da ti otkrijem svu mudrost koju posedujem. Današnjom demonstracijom želim da naglasim koliko je važno da odrediš jasno definisane ciljeve u svom životu i da precizno znaš kuda ideš. Ono što si upravo video potvrđuje najvažniji princip za bilo koga ko teži da ostvari svoje ciljeve i ispuni svrhu svog života: *nikada nećeš biti u stanju da pogodiš metu koju ne vidiš.* Ljudi provedu ceo život sanjajući o tome da postanu srećniji, da žive sa više vitalnosti i u obilju strasti. Ipak ne vide da je važno da odvoje bar deset minuta mesečno da napišu svoje ciljeve i da duboko razmisle o smislu svog života o svojoj *Darmi.* Određivanje ciljeva će učiniti tvoj život divnim. Tvoj svet će postati bogatiji, zabavniji, čarobniji.“

„Vidiš, Džulijane, naši preci su nas učili da određivanje jasno definisanih ciljeva za ono što želimo u na - šem mentalnom, fizičkom i duhovnom svetu jeste odlučujuće za njihovo ostvarenje. U svetu iz koga ti dolaziš, ljudi postavljaju finansijske i materijalne ci-ljeve. Nema ničeg lošeg u tome, ako je to ono što vi vrednujete. Ipak, da bi se ovladalo sobom i došlo do unutarnjeg prosvetljenja, moraš isto tako i u drugim oblastima da postaviš konkretne ciljeve. Da li bi bio iznenađen da znaš da sam ja jasno odredio ciljeve poštujući duhovni mir koji želim, energiju koju uno-sim u svaki dan i ljubav koju nudim svima oko mene? Postavljanje ciljeva nije samo za poznate advokate poput tebe koji žive u svetu punom materijalnih bogatstava. Svako ko želi da poboljša kvalitet svog kako unutarnjeg tako i spoljnog sveta, pametno će da uradi ako uzme parče papira i krene da piše svoje ži-votne ciljeve. U trenutku kada to bude gotovo, snage prirode će stupiti na scenu i krenuti da pretvaraju te snove u realnost."

Fasciniralo me je to što sam čuo. Kada sam igrao fudbal u srednjoj školi, moj trener je stalno govorio o tome kako je važno da u svakoj utakmici znamo šta želimo. „Budi svestan svojih rezultata", bio je njegov lični moto i naš tim ne bi ni pomislio da stupi nogom na teren, bez jasnog plana igre koji bi nas vodio do pobede. Pitao sam se zašto ni jedan jedini put od kad sam odrastao nisam odvojio vreme da razvijem plan igre za moj vlastiti život. Možda ima nečega u ovome što pričaju Džulijan i Jogi Raman.

„Šta je to tako posebno u tome da se uzme parče papira i napišu svoji ciljevi? Kako može tako jednostavan čin da napravi takvu razliku?", upitao sam.

Džulijan je bio presrećan. „Džone, inspiriše me tvoja očigledna zainteresovanost. Entuzijazam je jedna od ključnih stvari trajno srećnog života i drago mi je da vidim da si ga ti još uvek pun. Već sam ti rekao da svako od nas u proseku svakog dana misli 60.000 misli. Time što ćeš napisati svoje želje i ciljeve na parčetu papira, ti šalješ crvenu zastavu svojoj podsvesti da su te misli daleko važnije nego preostalih 59.999. Tvoj um će tada početi da traži sve mogućnosti kako bi se tvoja sudbina ostvarila poput navođene rakete. To je zaista jedan naučni proces. Većina nas jednostavno nije svesna toga."

„Nekolicina mojih partnera su veliki u određivanju ciljeva. Razmisli, oni su finansijski najuspešniji ljudi

koje znam. Ali ja ne mislim da su oni najuravnoteže-
niji", primetio sam.

„Verovatno ne postavljaju sebi prave ciljeve. Vidiš
Džone, život nam u velikoj meri pruža ono što tražimo
od njega. Većina ljudi želi da se oseća bolje, da ima više
energije ili da živi sa velikim zadovoljstvom. Ipak, kada
ih upitaš da ti tačno kažu šta je to što žele, nemaju
odgovor. Ti menjaš svoj život onog časa kad postaviš
svoje ciljeve i počneš da tražiš svoju *Darmu*", reče
Džulijan, a oči su mu iskrile istinitošću njegovih reči.

„Da li si ikada upoznao nekoga sa čudnim imenom
i zatim počeo svuda da primećuješ to ime: u novinama,
na televiziji ili u kancelariji? Ili da li si se ikada zainte-
resovao za nešto novo, recimo leteći ribolov i zatim
primetio da ne možeš nigde da odeš a da ne čuješ o
čudesima letećeg ribolova? To je samo jedna ilustracija
večnog principa koji Jogi Raman naziva *joriki,* koji,
kako sam ga ja naučio, znači koncentrisani um. Kon-
centriši svaki gram svoje mentalne energije na samou-
poznavanje. Uoči u čemu si najbolji i šta te čini sreć-
nim. Možda se ti baviš pravom, ali pravi smisao je da
budeš učitelj u školi i to ti daje strpljenje i ljubav za taj
posao. Možda si ti frustrirani slikar ili vajar. Šta god da
si, pronađi svoju strast i sledi je."

„Sada kad zaista razmišljam o tome, bilo bi tužno da
dođem do kraja života a ne shvatim da sam imao neke
mogućnosti da oslobodim svoje potencijale i pomo-
gnem drugima – makar malo."

„To je tačno. Zato od sada pa nadalje, budi svakog
časa svestan šta je cilj tvog života. Usmeri svoj um na

obilje mogućnosti oko tebe. Počni da živiš sa više radosti. Ljudski um je najveći filter na svetu. Kada se koristi na odgovarajući način on dbacuje ono što smatraš nevažnim i pruža ti samo informacije koje tražiš u to vreme. Baš u ovom času dok sedimo ovde u tvojoj dnevnoj sobi, postoje stotine ako ne i hiljade stvari ko je se dešavaju, a na koje mi ne obraćamo pažnju. Zvuci ljubavnika koji se kikoću dok šetaju po promenadi, zlatna ribica u akvarijumu iza tebe, hladan vazduh koji izlazi iz klima-uređaja, pa čak i otkucaji mog srca. U trenutku kada odlučim da se koncentrišem na otkucaje mog srca, počinjem da zapažam njegov ritam i osobine. Slično tome, kada rešiš da koncentrišeš svoj um na glavni smisao svog života, tvoj um počinje da filtrira nevažno i fokusira se samo na važno.“

„Iskreno govoreći, mislim da je pitanje vremena da otkrijem svoju svrhu“, rekao sam. Nemoj pogrešno da me shvatiš, ima puno sjajnih stvari u mom životu. Ali me to ne ispunjava takvim zadovoljstvom kakvim mi slim da bi moglo. Ako bih danas umro, zaista ne bih mogao da tvrdim sa sigurnošću da bih time napravio neku veliku razliku.“

„Kako se osećaš zbog toga?“

„Depresivno“, bio sam potpuno otvoren. „Znam da imam talenta. Bio sam đavolski dobar umetnik, kad sam bio mlađi. To je trajalo sve dok me profesija prav nika nije privukla obećanjem mnogo stabilnijeg života.“

„Da li si ikada poželeo da se profesionalno baviš slikarstvom?“

„Zaista nisam mnogo razmišljao o tome. Ali reći ću ti jedno. Kada sam slikao osećao sam se kao u raju.“

„To te je zaista ispunjavalo, zar ne?“

„Apsolutno. Kada bih bio u ateljeu i slikao, izgubio bih pojam o vremenu. Izgubio bih se na platnu. To je za mene bilo pravo oslobađanje. Skoro kao da sam nadmašio vreme i prešao u drugu dimenziju.“

„Džone, to je moć koncentrisanja tvog uma na po - sao koji voliš. Gete je rekao ’da se mi oblikujemo i prilagođavamo prema onome što volimo.’ Možda je tvoja *Darma* da divnim scenama činiš svet prijatnijim. Na koncu konca, počni svakog dana pomalo da slikaš.“

„Kako bi bilo da primenim tu filozofiju na manje ezoterične stvari nego što je promena mog života?“, upitao sam sa smeškom.

„To bi bilo dobro“, odgovorio je Džulijan „Kao na primer?“

„Recimo da je jedan od mojih ciljeva, iako mali, da oslabim i izgubim ove naslage sala oko struka. Odakle da krenem?“

„Nemoj da se ustručavaš. Ti, majstor u određivanju zadataka i postizanju zacrtanog – da počinješ od malih stvari.“

„Put od hiljadu milja, počinje jednim korakom?“, intuitivno sam upitao.

„Tačno. A biti dobar u postizanju malih podviga či - ni te spremnim za ostvarivanje velikih. I zato ti iskreno kažem, nema ničeg lošeg u tome da napraviš čitav spisak malih ciljeva u procesu planiranja onih velikih.“

Džulijan mi je rekao da su mudraci Sivane stvorili petostepenu metodu postizanja svojih ciljeva i ispunjenja smisla njihovih života. Jednostavno, praktično i efikasno. Prvi korak je bio da stvore jasnu mentalnu viziju željenog rezultata. Ako mi je cilj da izgubim u težini, rekao mi je Džulijan, onda svako jutro čim se probudim treba da zamislim sebe kao vitkog, zgodnog čoveka punog vitalnosti i beskrajne energije. Što je mentalna slika jasnija, to je proces efikasniji. Dodao je da je um najveća riznica moći i da će ovaj jednostavni čin 'oslikavanja' mog cilja otvoriti put ka ostvarenju te želje. Drugi korak jeste stvaranje pozitivnog pritiska na samog sebe.

„Glavni razlog zašto ljudi ne slede ono što su zacrtali jeste činjenica da je mnogo lakše skliznuti nazad na stari put. Pritisak nije uvek loš. To može da te inspiriše na veliki finiš. Ljudi generalno postižu izvanredne stvari kada su priterani uza zid i prisiljeni da koriste potencijale koji se kriju u njima.“

„Kako ja mogu da stvorim taj 'pozitivan pritisak' na samog sebe?“, pitao sam, razmišljajući sada o mogućnostima primene ove metode na sve, počevši od ranijeg ustajanja, pa do toga da budem strpljiviji otac koga više vole.

„Ima mnogo načina da se to učini. Jedan od najboljih je javno se obavezati. Reci svakom koga znaš, da ćeš izgubiti višak kilograma ili napisati roman ili što god je tvoj cilj. Jednom kada svetu objaviš svoj cilj, to će te stalno pritiskati da radiš na njegovom ostvarenju, jer niko ne voli da izgleda kao promašen čovek. U

Sivani, moji učitelji su koristili mnogo dramatičnija sredstva da bi stvorili pozitivan pritisak o kome govorim. Oni su jedan drugome izjavljivali da će ako ne budu ispunjavali svoje obaveze, kao što je post od nedelju dana ili ustajanje u četiri sata ujutro radi meditacije, otići dole do ledenog vodopada i stajati pod njim sve dok im se ruke i noge ne ukoče od hladnoće. Ovo je jedan žestok primer kakvu moć ima pritisak na izgrađivanje dobrih navika i ostvarivanje ciljeva."

„Žestok – to je potcenjivanje, Džulijane. Kakav bizaran ritual!"

„Ipak, maksimalno efikasan. Poenta je jednostavna. Kada treniraš svoj um da poveže zadovoljstvo sa dobrim navikama, a kaznu sa lošim, tvoje slabosti će za čas biti sklonjene u stranu."

„Rekao si da postoji pet koraka koje treba da učinim da bi se moje želje ostvarile", kazao sam nestrpljivo. „Koja su tri preostala?"

„Da, Džone. Prvi korak je da imaš jasnu viziju rezultata. Drugi korak je da stvoriš pozitivan pritisak koji će te inspirisati. Treći korak je jednostavan: nikad ne određuj cilj, a da nisi postavio rok za njegovo ostvarivanje. Da bi cilj oživeo, moraš mu dati precizan rok. To je kao kad se pripremaš za slučaj na sudu, ti se uvek usredsrediš na ono što je sudija zakazao za sutra, a ne na ono što nije određeno datumom u sudnici.

„I usput", objasnio je Džulijan, „zapamti da cilj koji nije stavljen na papir, nije cilj uopšte. Izađi i kupi svesku – jeftini blok će da vrši posao. Nazovi to svojom

Sveskom snova i puni je svim svojim željama, snovima i ciljevima. Upoznaj sebe i svoj karakter."

„Zar ja već ne poznajem sebe?"

„Većina ljudi ne poznaje sebe. Oni nikad ne odvoje vreme da upoznaju svoju snagu, svoje slabosti, svoje nade, svoje snove. Kinezi definišu sliku neke osobe ovim terminima: postoje tri ogledala koja daju odraz nečije ličnosti, prvo je kako ti vidiš samog sebe, drugo – kako tebe vide drugi i treće ogledalo odaje istinu. Upoznaj sebe Džone. Upoznaj istinu.

„Podeli svoju Svesku snova na odvojene delove u skladu s ciljevima koji se odnose na različite oblasti tvog života. Na primer, možeš da imaš deo koji se odnosi na ciljeve u vezi s tvojom fizičkom spremnošću, finansijske ciljeve, ciljeve u vezi s ličnim usavršavanjem, ili međuljudskim odnosima i društvenim životom i možda ono što je najvažnije, tvoje duhovne ciljeve."

„Hej, pa to zvuči zabavno! Nikad nisam razmišljao da učinim za sebe nešto tako kreativno. Zaista treba da krenem da sebi postavljam više izazova."

„Slažem se. Još jedna posebno efikasna tehnika koju sam naučio jeste da ispuniš svoju Svesku snova slikama stvari koje želiš i fotografijama ljudi koji su razvili sposobnosti, talente i kvalitete i koji su tvoji uzori. Da se vratimo tebi i tvojim 'naslagama sala'. Ako želiš da izgubiš na težini i budeš u izvanrednoj fizičkoj formi, stavi sliku trkača maratonca ili nekog elitnog atlete u svoju Svesku snova. Ako želiš da budeš najbolji muž na svetu, zašto ne uzmeš sliku nekoga ko to predstavlja –

možda sliku tvog oca – i staviš je u svoj blok i deo za međuljudske odnose. Ako sanjaš o kući pored mora ili sportskim kolima, nađi inspirativnu sliku tih stvari i iskoristi je za tvoju knjigu snova. Zatim svakoga dana pregledaj tu knjigu, makar i na nekoliko minuta. Sprijatelji se s njom. Rezultati će te zapanjiti."

„Ovo je prilično revolucionarna stvar, Džulijane. Mislim, preko ovih ideja koje postoje vekovima, svako koga znam danas, može da poboljša kvalitet svog svakodnevnog života ako primeni makar samo neke od njih. Moja žena bi volela da ima Svesku snova. Ona bi je verovatno ispunila mojim slikama bez ove moje stomačine."

„Pa nije tako velika", sugerisao je Džulijan utešnim tonom.

„A zašto me onda zovu Gospodin Krofna?", rekao sam široko se osmehujući.

Džulijan je počeo da se smeje. Morao sam da ga sledim. Uskoro smo obojica bili na podu i grohotom se smejali.

„Pretpostavljam, ako ne možeš da se smeješ samom sebi, kome možeš?", rekao sam još uvek kikoćući se.

„Živa istina, prijatelju. Kada sam živeo pređašnjim načinom života, jedan od mojih glavnih problema bio je taj što sam shvatao život i suviše ozbiljno. Sada se mnogo više šalim i poput deteta sam. Uživam u svemu što mi život pruža bez obzira koliko je to.

„Ali ja sam skrenuo sa teme. Imam toliko mnogo da ti kažem i to sve izlazi iz mene kao bujica. Da se vratimo na petostepenu metodu ostvarivanja ciljeva. Kad jednom formiraš jasnu mentalnu sliku onoga što želiš, stvoriš mali pritisak u vezi toga, postaviš rok i obavežeš se napismeno, sledeći korak jeste primena onog što Jogi Raman naziva Magično Pravilo 21. Obrazovani muš - karci i žene iz njegovog okruženja verovali su da neki novi oblik ponašanja treba da se sprovodi u praksi dvadeset jedan dan zaredom, da bi prerastao u naviku."

„Šta je to tako posebno u vezi da dvadeset i jednim danom?"

„Mudraci su bili apsolutni majstori u stvaranju novih, mnogo korisnijih navika koje su upravljale njihovim životima. Jogi Raman mi je jednom rekao da jednom stečena loša navika nikad ne može da se izbriše."

„Ali celo veče me navodiš na to da promenim način života. Kako to da uradim ako ne mogu da izbrišem ni jednu od mojih loših navika?"

„Rekao sam da se loše navike ne mogu izbrisati. Nisam rekao da se negativne navike ne mogu zameniti", precizno je dodao Džulijan.

„O Džulijane, ti si oduvek bio car kad je u pitanju bila semantika. Ali mislim da shvatam poentu."

„Jedini način da trajno ukoreniš novu naviku jeste da usmeriš puno energije u tom pravcu da bi se stara navika izmakla u stranu poput neželjenog gosta u kući. Taj proces otprilike traje dvadeset i jedan dan, toliko vremena je potrebno da se stvori novi nervni put."

„Recimo da ja hoću da počnem da praktikujem tehniku Srce ruže da bih izbrisao naviku da brinem i da bih živeo mnogo mirnije. Da li to treba da radim svakog dana u isto vreme?"

„Dobro pitanje. Prva stvar koju ću ti reći jeste da ti nikada *ne moraš* ništa da radiš. Sve što pričam večeras s tobom, nudim ti kao prijatelju koji je iskreno zainteresovan za svoj duhovni rast i razvoj. Svaka strategija, oruđe i tehnika su isprobani tokom vremena i po efikasnosti i po vidljivim rezultatima. Uveravam te u to. I mada mi srce kaže da treba da te preklinjem da isprobaš sve metode mudraca, moja savest mi kaže da jednostavno sledim svoju dužnost i podelim mudrost sa tobom, ostavljajući te da sam primeniš šta želiš. Moje načelo glasi: Nikada nemoj da radiš nešto zato što moraš. Jedini razlog da nešto učiniš jeste da to želiš jer znaš da je to prava stvar za tebe.“

„Džulijane, to zvuči razumno. Ne brini, ni jednog momenta nisam osećao da me kljukaš informacijama. Usput, jedina stvar kojom mogu da se kljukam ovih dana jeste kutija krofni – a ni to u većoj količini“, duhovito sam primetio.

Džulijan se bojažljivo nasmešio. „Hvala, druže. A sada da odgovorim na tvoje pitanje. Moj predlog je da pokušaš sa tehnikom Srce ruže svakog dana u isto vreme na istom mestu. Postoji ogromna moć u ritualu. Sportske zvezde koje jedu isto jelo ili vezuju patike na isti način pre velike utakmice, koriste moć rituala. Vernici koji izvode iste obrede, nose istu odeću, koriste moć rituala. Čak i poslovni ljudi koji prelaze isti put ili pričaju iste priče pre velike prezentacije, primenjuju moć rituala. Vidiš, kada uneseš bilo koju aktivnost u svoju rutinu i primenjuješ je na isti način u isto vreme svakoga dana, ona brzo preraste u naviku.

„Na primer, većina ljudi će učiniti istu stvar nakon što se probudi, ne razmišljajući uopšte o tome šta rade. Otvaraju oči, ustaju iz kreveta, odlaze do kupatila i počinju da peru zube. Tako ćeš i ti držeći se svog cilja u periodu od dvadeset i jednog dana i baveći se novom aktivnošću u isto vreme svakog dana, pretvoriti tu aktivnost u deo tvoje rutine. Uskoro ćeš imati novu naviku, bilo da je to meditacija, ranije ustajanje ili sat vremena čitanja svakog dana i to ćeš raditi jednako lako kao što pereš zube."

„To je završni korak u ostvarivanju ciljeva i napredovanju na putu ka smislu?"

„Završni korak u metodi mudraca jeste onaj koji se jednako može primeniti bilo kada u tvom životu."

„Moja šolja je još uvek prazna", rekao sam pun poštovanja.

„Uživaj u procesu. Mudraci Sivane često su pričali o ovoj filozofiji. Oni iskreno veruju da je dan bez smeha ili dan bez ljubavi – dan bez života."

„Nisam siguran da pratim nit."

„Sve što kažem je, budi siguran da se zabavljaš dok napreduješ prema svom cilju i smislu. Nemoj nikada da zaboraviš koliko je važno živeti sa neobuzdanom radošću. Nemoj nikada da propustiš da vidiš istančanu lepotu u svemu živom. Danas i upravo sada ti i ja delimo poklon. Budi produhovljen, veseo i radoznao. Budi usmeren na svoje životno delo i nesebično služenje drugima. Svemir će da se pobrine za sve drugo. To je jedan od najistinitijih zakona prirode."

„I nikada nemoj da žališ za onim što se desilo u prošlosti?"

„Tačno. Nema haosa u svemiru. Sve što ti se ikada desilo ima neki smisao kao i sve što će ti se dogoditi. Zapamti šta sam ti rekao, Džone. Svako iskustvo nudi lekcije. Zato prestani da pridaješ važnost nevažnim stvarima. Uživaj u životu."

„I to je to?"

„Još uvek imam puno mudrih stvari da podelim s tobom. Da li si umoran?"

„Ne, ni najmanje. U stvari, osećam se prilično uzbuđeno. Ti si, Džulijane, dobar u davanju podstreka. Da li si ikada razmišljao o iznajmljenom terminu na TV-u?", pakosno sam pitao.

„Ne razumem", ljubazno je odgovorio.

„Nema veze. To je samo jedan od mojih slabih pokušaja da budem duhovit."

„U redu. Pre nego što nastavimo sa pričom Jogi Ramana, postoji još jedna, poslednja stvar u vezi ostvarivanja ciljeva i snova u koju bih voleo da te uverim."

„Da čujem."

„Postoji jedna reč o kojoj mudraci govore s punim poštovanjem."

„Reci".

„Izgleda da ova jednostavna reč ima za njih duboko značenje i daje ton njihovom svakodnevnom razgovoru. Reč o kojoj govorim je *strast*, i tu reč stalno moraš da držiš na pameti dok slediš svoju misiju i ostvaruješ svoje snove. Goruća strast je najmoćnija pokretačka snaga tvojih snova. Ovde u našem društvu, mi smo izgubili strast. Mi ne radimo nešto zato što to volimo. Radimo to, jer osećamo da moramo. To je formula mizerije. Ja ne govorim o romantičnoj strasti iako je i ona elemenat uspešnog, inspirativnog života. Ono o čemu ja pričam je strast za životom. Potraži ponovo radost sa kojom si se budio svakog jutra pun energije i veselja. Unesi plamen strasti u sve što radiš. Brzo ćeš imati veliku korist kao i duhovno zadovoljstvo."

„Iz tvojih usta to zvuči tako jednostavno."

„To i jeste jednostavno. Od večeras pa nadalje, uzmi u ruke kontrolu nad svojim životom. Odluči, jednom i zauvek da budeš gospodar svog života. Trči svoju sopstvenu trku. Otkrij svoju misiju i počećeš da živiš u zanosu nadahnutog života. Konačno, zapamti zauvek da ono što je iza tebe i ono što je ispred tebe, nije ništa u poređenju sa onim što je u tebi."

„Hvala Džulijane. Stvarno mi je trebalo da ovo čujem. Tek večeras sam shvatio šta mi je sve nedostajalo u životu. Lutao sam bez cilja i pravog smisla. Stvari će se promeniti. Obećavam. Zahvalan sam ti na ovome."

„Prijatelju, nema na čemu. Ja samo ispunjavam *moju* svrhu postojanja."

Poglavlje 8 – Rezime
• Džulijanova mudrost u najkraćim crtama

Simbol

Svojstvo	Sledi svoju svrhu

Mudrost	• Smisao života je život sa svrhom

• Otkriti a zatim ostvariti svoje životno delo donosi trajno ispunjenje

• Jasno definiši lične, profesionalne i duhovne ciljeve, zatim budi hrabar da se ponašaš u skladu s njima.

Tehnike	• Moć samoispitivanja

• Petostepena metoda određivanja ciljeva

| Citat |

Nemoj nikada da zaboraviš koliko je
važno živeti sa neobuzdanom radošću.
Nemoj nikada da propustiš da vidiš
istančanu lepotu u svemu živom.
Današnji dan i ovaj čas su poklon.
Budi usmeren na vlastitu svrhu.
Svemir će da se pobrine o svemu
ostalom.

Kaluđer koji je prodao svoj ferari

Deveto poglavlje

Drevna umetnost vladanja samim sobom

Dobri ljudi stalno rade na sebi.
Konfučije

„Vreme brzo prolazi", reče Džulijan pre nego što je sipao sebi još jednu šolju čaja. „Uskoro će svanuti. Da li želiš da nastavim ili ti je bilo dovoljno za jednu noć?"

Nije bilo šanse da ovog čoveka koji je raspolagao takvom mudrošću, pustim da ode, a da mi nije završio priču. Na početku, njegova priča je zvučala fantastično. Ali slušajući ga, ja sam upijao tu večnu filozofiju i počinjao duboko da verujem u to šta je on govorio. To nije bilo presipanje iz šupljeg u prazno dvojice besposličara.

Džulijan je bio stvaran. Čvrsto je stajao iza svojih reči. A njegova poruka je zvučala iskreno. Verovao sam mu.

„Džulijane, molim te nastavi, imam vremena koliko god hoćeš. Deca spavaju noćas kod dede i babe, a Dženi neće skoro ustati."

Osetivši da sam iskren, nastavio je sa simboličnom pričom, koju mu je ispričao Jogi Raman da bi ilustrovao svoju mudrost negovanja bogatijeg, zdravijeg života.

„Rekao sam ti da bašta predstavlja plodan vrt tvog uma, vrt ispunjen fantastičnim blagom, bezgraničnim bogatstvima. Takođe sam ti pominjao svetionik i kako on simbolizuje ciljeve i važnost otkrivanja smisla života. Setićeš se da se u priči, vrata svetionika polako otvaraju i da napolje izlazi japanski sumo rvač visok blizu tri metra i težak oko četiri stotine kilograma.“

„Zvuči kao loš film o Godzili.“

„Ja sam kao dete voleo te filmove.“

„I ja takođe. Ali ne dozvoli da te odvlačim od teme“, odgovorio sam.

„Sumo rvač predstavlja veoma važan elemenat u sistemu menjanja života mudraca Sivane. Jogi Raman mi je objasnio da su pre mnogo vekova, veliki učitelji drevnog istoka razvili do tančina filozofiju koju su nazvali *kaizen*. Ova japanska reč označava trajno i beskrajno usavršavanje. I to je lični zaštitni znak svakog muškarca i žene koji žive uzvišenim, potpuno prosvetljenim životom.“

„Kako je koncept *kaizena* obogatio živote mudraca?“, pitao sam.

„Džone, kao što sam ranije pomenuo, uspeh izvana počinje uspehom iznutra. Ako zaista želiš da poboljšaš svoj spoljni svet, bilo tvoje zdravlje, tvoje veze ili tvoje finansije, moraš pre svega da poboljšaš svoj unutarnji svet. Najefikasniji način za to je stalno samousavršavanje. Vladanje samim sobom jeste DNK ovladavanja životom."

„Džulijane, nadam se da nemaš ništa protiv da ti kažem, da mi cela ova priča o 'unutarnjem svetu' zvuči više nego ezoterično. Zapamti, ja sam samo advokat srednje klase iz rustičnog predgrađa, sa kombijem parkiranim ispred kuće i kosilicom za travu u garaži."

„Vidi, sve što si mi rekao ima smisla. U stvari, većina stvari koje si mi ispričao zvuče vrlo razumno, iako znam da je u današnje vreme zdrav razum sve samo ne zdrav. Ipak, moram ti reći da imam poteškoća sa pojmom *kaizen* i poboljšanjem mog unutarnjeg sveta. O čemu mi zapravo ovde govorimo?"

Džulijan nije oklevao da odgovori. „U našem društvu, svi mi isuviše često neuke ljude smatramo slabima. Ipak, oni koji pokažu nedostatak znanja i traže uputstva, pronađu put ka prosvetljenju pre bilo kog drugog. Tvoja su pitanja poštena i pokazuju mi da si otvoren za nove ideje. Promena je danas najjača sila u našem društvu. Mnogi ljudi se plaše toga a mudri prihvataju. Tradicija zena govori o umu početnika: oni čiji je um otvoren za nova rešenja – *oni čije su šolje uvek prazne* – uvek će napredovati ka višim nivoima ostvarenja i ispunjenja. Nikad nemoj da se ustručavaš da pitaš, čak i najosnovnije stvari. Pitanja su najefikasniji način sticanja znanja."

„Hvala. Ali meni još uvek nije jasan pojam *kaizena*."

„Kada govorim o poboljšanju unutarnjeg sveta, ja u stvari govorim o samousavršavanju i ličnoj ekspanziji, a to je najbolje što možeš da uradiš za samog sebe. Ti možeš da misliš da si suviše zauzet da bi odvojio vreme da radiš na sebi, ali to bi bila veoma velika greška. Vidiš, kada izgradiš jak karakter, pun discipline, energije, snage i optimizma, ti možeš da imaš bilo šta i da radiš što god želiš u svom spoljnom svetu. Kada razviješ duboko osećanje samopouzdanja u svoje sposobnosti i nesalomiv duh, ništa ne može da te spreči da uspeš u svemu čime se baviš i da živiš uz velike nagrade. Vreme koje odvajaš da bi ovladao svojim umom, da bi negovao telo i dušu, omogućiće ti da uneseš više bogatstva i vitalnosti u svoj život. Kao što je Epiktetus davno rekao: 'Nijedan čovek koji nije gospodar samog sebe, nije slobodan.'"

„Tako da je *kaizen* u suštini veoma praktičan koncept."

„Veoma. Džone, razmisli o tome. Kako neko može da vodi korporaciju, ako ne može ni sobom da upravlja? Kako možeš da neguješ porodicu, ako nisi naučio ni samog sebe da neguješ i vodiš brigu o sebi? Kako bi ti mogao da činiš dobro, ako se ni ne osećaš dobro? Shvataš li poentu?"

Klimnuo sam glavom, potpuno se složivši s tim. Ovo je bio prvi put da sam iole ozbiljno razmišljao o važnosti usavršavanja samog sebe. Oduvek sam smatrao da su ljudi koje sam viđao u podzemnoj železnici kako čitaju knjige tipa 'Moć pozitivnog razmišljanja' ili 'Mega život!', očajnici koji traže neki vrstu leka da bi se vratili na pravi put. Sada sam shvatio da su oni koji rade na sebi najjači i da samo kroz sopstveno usavršavanje, neko može da se nada da će da poboljša mnoge druge. Zatim sam počeo da razmišljam o svim stvarima koje bih mogao da poboljšam. Zaista bih mogao da iskoristim dodatnu energiju i dobro zdravlje koje bih sigurno dobio vežbanjem. Ako se oslobodim svoje gadne naravi i navike da upadam drugima u reč, to bi moglo da učini čuda u mojim odnosima sa ženom i decom. A da izbrišem naviku da brinem, to bi mi donelo spokoj u duši i duboko osećanje sreće za kojim tragam. Što sam više razmišljao o tome, više sam mogućih poboljšanja video.

Postajao sam sve uzbuđeniji, kako sam počinjao da sagledavam sve te pozitivne stvari koje bi uplovile u moj život negovanjem dobrih navika. Ali uvideo sam i da je Džulijan pričao o nečem daleko većem nego što je važnost dnevnog vežbanja, zdrava hrana i izbalansiran način života. Ono što je on naučio na Himalajima bilo je dublje i značajnije od ovoga. Govorio je o važnosti izgrađivanja jakog karaktera, razvijanju mentalne čvrstine i hrabrom življenju. Rekao mi je da bi ove tri karakteristike dovele ne samo do života punog vrlina već i do života ispunjenog ostvarenjima, zadovoljstvom i unutarnjim mirom. Hrabrost je kvalitet koji svako može da odneguje i koji se na duge staze veoma isplati.

„Kakve veze ima hrabrost sa samovođstvom i ličnim razvojem?", glasno sam razmišljao.

„Hrabrost ti dozvoljava da trčiš sopstvenu trku. Hrabrost ti dozvoljava da radiš što god želiš jer ti znaš da je to u redu. Hrabrost ti daje samokontrolu da istraješ tamo gde drugi propadaju. Konačno, mera hrabrosti sa kojom živiš, određuje koliko će ti život biti ispunjen. Zahvaljujući tome, zaista shvataš sva divna čuda epopeje koja predstavlja tvoj život. A oni koji vladaju sobom, obiluju hrabrošću."

„U redu. Počinjem da razumevam važnost rada na sebi. Odakle da krenem?"

Džulijan se vratio na razgovor koji je vodio sa Jogi Ramanom visoko gore u planinama, jedne noći koju pamti po izuzetno lepom, zvezdanom nebu.

„U početku sam i ja imao problem sa pojmom samousavršavanja. Na kraju krajeva, bio sam vrhunski pravnik, obrazovan na Harvardu i nisam imao vremena za teorije Novog doba, kojima su me obasipali ljudi za koje sam mislio da su loše ošišani i da vise po aerodromima. Nisam bio u pravu. To je bio taj zatvoreni način razmišljanja koji je i karakterisao moj život svih tih godina. Što sam duže slušao Jogi Ramana i što sam više razmišljao o bolu i patnji mog bivšeg sveta, to sam toplije prihvatao u mom novom životu filozofiju *kaizena*, stalnog i beskrajnog usavršavanja uma, tela i duše", izjavio je Džulijan.

„Zašto ovih dana tako često slušam o 'umu, telu i duši'? Čini mi se da ne mogu ni TV da upalim, a da to neko ne spomene."

„To je trojstvo tvojih ljudskih potencijala. Mentalni napredak bez negovanja fizičkih talenata bila bi jalova pobeda. Unapređivanje mogućnosti tvog uma i tela do najviših nivoa, a bez negovanja duše donelo bi ti osećaj praznine i neostvarenosti. Ali kada svoju energiju posvetiš tome da aktiviraš sve potencijale ova tri domena, osetićeš ukus božanske ekstaze i prosvetljenog života."

„Druže, prilično sam uzbuđen svim ovim."

„A što se tiče tvog pitanja odakle početi, obećavam da ću ti za par trenutaka dati jedan broj starih, ali još uvek moćnih tehnika. Ali prvo moram da podelim sa tobom praktičnu ilustraciju. Postavi se u položaj u kome radiš sklekove."

Bože moj, Džulijan je postao kondicioni trener, pomislio sam u sebi. Poslušao sam, jer sam bio radoznao i otvoren za nove stvari.

„Sada, uradi onoliko sklekova koliko možeš. Nemoj da staneš dok ne budeš potpuno siguran, da ne možeš više da ih radiš."

Borio sam se s vežbom. Mojih sto kilograma težine nisu bili naviknuti na išta teže od šetnje s decom do najbližeg MekDonaldsa ili igranja golfa s poslovnim partnerima. Prvih petnaest sklekova su bili čista agonija. Zbog napora, a i vrućine te letnje večeri, počeo sam strašno da se znojim. Međutim, bio sam odlučio da ne pokažem nijedan znak slabosti i da nastavim sve dok me ruke i ponos budu služili.

Kod dvadeset i trećeg skleka sam odustao.

„Džulijane, ne mogu više. Ovo me ubija. Šta pokušavaš da dokažeš ovim?"

„Da li si siguran da ne možeš više?"

„Siguran sam. Hajde, daj mi pauzu. Jedino šta ću iz ovoga da naučim, jeste šta učiniti da bi se dobio infarkt."

„Uradi još deset. Tada možeš da se odmoriš", komandovao je Džulijan.

„Ti mora da se šališ!"

Ali sam nastavio. Jedan. Dva. Pet. Osam. I konačno deset. Legao sam na pod potpuno iscrpljen.

„Imao sam potpuno isto iskustvo sa Jogi Ramanom, one noći kada mi je ispričao njegovu specijalnu priču", reče Džulijan „Rekao mi je da je bol veliki učitelj."

„Šta bilo ko može da nauči iz ovakvog iskustva?", pitao sam bez daha.

„Jogi Raman i svi mudraci Sivane, verovali su da se ljudi najviše razvijaju kada uđu u 'domen nepoznatog'."

„U redu. Ali kakve to veze ima s mojim vežbanjem sklekova?"

„Kada si uradio dvadeset i tri skleka, rekao si mi da ne možeš više. Da je to tvoj apsolutni limit. Ipak, kada sam te izazvao da uradiš još, odgovorio si sa još deset sklekova. Imao si više u sebi i kada si stigao do svojih izvora, dobio si još. Dok sam bio njegov student, Jogi Raman mi je objasnio fundamentalnu istinu: *Jedine granice koje imaš u životu, jesu one koje sam sebi nametneš.* Kada se usudiš da izađeš izvan svog kruga komfora i istražiš nepoznato, počinješ da oslobađaš svoje istinske ljudske potencijale. Ovo je prvi korak ka ovladavanju samim sobom i vladanju nad svim drugim okolnostima u tvom životu. Kada prekoračiš svoje granice, upravo kao što si ti učinio u ovoj maloj demonstraciji, otvaraš mentalne i fizičke rezerve koje nisi ni sanjao da imaš."

'Fascinantno', pomislio sam. Setio sam se da sam nedavno pročitao u nekoj knjizi da prosečna osoba koristi samo neznatan deo svojih ljudskih kapaciteta. Pitao sam se, šta bi mogli da radimo kada bi počeli da koristimo preostali rezervoar naših sposobnosti.

Džulijan je osećao da mu ide.

„Vežbaj umetnost *kaizena* tako što ćeš svakog dana gurati sebe dalje. Radi naporno da bi usavršio svoj um i telo. Neguj svoj duh. Čini ono čega se plašiš. Kreni da živiš sa neobuzdanom energijom i bezgraničnim entuzijazmom. Gledaj kako sunce izlazi. Pleši na kiši. Budi onakav kakav si sanjao da ćeš biti. Uradi stvari koje si oduvek želeo da uradiš, a nisi, jer si zavaravao sebe verovanjem da si premlad, prestar, prebogat ili suviše siromašan. Pripremi se da živiš veselim, potpuno ispunjenim životom. Na istoku kažu da je *sreća* naklonjena spremnom umu. Ja verujem da je *život* naklonjen spremnom umu.“

Džulijan je nastavio svoje strastveno izlaganje. „Identifikuj stvari koje te unazađuju. Da li se plašiš razgovora ili imaš problema u svojim vezama? Da li ti nedostaje pozitivan stav ili ti treba više energije? Napiši spisak svojih slabosti. Zadovoljni ljudi su daleko pažljiviji od drugih. Odvoj vreme da razmisliš šta je to što te možda sprečava da živiš onako kako zaista želiš i duboko u sebi znaš da možeš. Kada postaneš svestan svojih slabosti, sledeći korak je da se suočiš sa njima i napadneš svoje strahove. Ako se plašiš govora u javnosti, potpiši da ćeš ih održati dvadeset. Ako se plašiš da započneš novi posao ili da raskineš vezu koja te ne zadovoljava, sakupi svaki atom tvoje unutrašnje snage i učini to. To će možda biti prvi put da osetiš ukus prave slobode, ukus koji nisi osetio godinama. Strah nije ništa drugo do mentalni monstrum koga si sam stvorio, negativni tok svesti."

„Strah nije ništa drugo nego negativni tok svesti? To mi se dopada. Ti misliš da su svi moji strahovi samo mali imaginarni zli duhovi koji se godinama talože u mom umu?"

„Tačno Džone. Svaki put kada su te sprečili da preduzmeš neku akciju, ti si dodao ulje na njihovu vatru. Ali kada pobediš svoje strahove, ti osvajaš svoj život."

„Treba mi primer."

„Svakako. Hajde da uzmemo govor u javnosti, toga se većina ljudi plaši više nego same smrti. Kada sam ja bio advokat, viđao sam advokate koji su se plašili da uđu u sud. Oni bi učinili sve, uključujući i poravnanje slučajeva koji su vredniji od toga, samo da bi izbegli bol istupanja u prepunoj sudnici."

„I ja sam viđao takve."

„Da li ti zaista misliš da im je to urođeni strah?"

„Nadam se da nije."

„Prostudiraj ponašanje bebe. Ona nema granice. Njen um je bujno polje potencijala i mogućnosti. Odnegovano na odgovarajući način, odvešće je do uzvišenosti. Punjeno negativnošću, vodiće je, u najboljem slučaju do mediokriteta. Ono što ja govorim je sledeće: Nijedno iskustvo nije samo po sebi bolno ili prijatno, bez obzira da li je to govor u javnosti, molba tvom šefu za povišicu, plivanje u suncem okupanom jezeru ili šetnja plažom po mesečini. Tvoje mišljenje je ono što deli iskustva na bolna odnosno prijatna."

„Interesantno."

„Beba može da bude istrenirana da divan sunčani dan doživljava kao depresivan. Dete može da bude istrenirano da štene vidi kao strašnu životinju. Odrastao čovek može da bude istreniran da drogu posmatra kao prijatno sredstvo za opuštanje. Sve to je stvar uslova, zar ne?"

„Sigurno."

„Isto je i sa strahom. Strah je uslovljeni odgovor: navika koja uništava život i koja lako može, ako nisi oprezan da potroši tvoju energiju, kreativnost i duh. Kada strah podigne svoju ružnu glavu, brzo je odseci. Najbolji način za to je da učiniš ono čega se plašiš. Treba da razumeš anatomiju straha. To je tvoja sopstvena kreacija. Kao i svaku drugu kreaciju, i nju je jednako lako uništiti, kao i stvoriti. Sistematski traži i uništi svaki strah koji se tajno ušunjao u tvrđavu tvog uma. To će ti samo po sebi dati ogromno poverenje, sreću i duševni mir."

„Da li nečiji um stvarno može da bude potpuno oslobođen straha?", upitao sam.

„Sjajno pitanje. Odgovor je jedno nedvosmisleno i jasno DA! Svi mudraci Sivane su bili potpuno oslobođeni straha. Mogao si to da vidiš po načinu na koji su hodali i po načinu na koji su govorili. Mogao si to da vidiš kada im se zagledaš duboko u oči, a reći ću ti, Džone, još nešto."

„Šta?", pitao sam, fasciniran onim što sam čuo.

„Ni ja takođe nemam straha. Poznajem sebe i znam da je moje prirodno stanje, stanje nesalomive snage i neograničenih potencijala. Svih tih godina ja sam bio blokiran samozanemarivanjem i neuravnoteženim razmišljanjem. Reći ću ti još nešto. Kada iz svog uma izbrišeš strah, počinješ da izgledaš mlađe, a tvoje zdravlje postaje još zvonkije."

„Ah, stara veza um – telo", odgovorio sam, u nadi da sam zamaskirao svoju ravnodušnost.

„Da. Mudraci istoka su znali za to više od pet hiljada godina. Teško da je to 'Novo doba'", rekao je sa širokim osmehom koji je osvetlio njegovo lice.

„Mudraci su podelili sa mnom još jedan moćan princip o kome često razmišljam. Mislim da će to da bude od neprocenjive važnosti za tebe dok ideš putem samovođstva i ovladavanja samim sobom. To mi je davalo motivaciju u periodima kada sam olako shvatao stvari. Filozofija može ukratko da glasi ovako: ono što razdvaja visoko ostvarene ljude od onih koji nikada nisu živeli inspirativnim životom, jeste činjenica da ovi prvi rade stvari koje ovi drugi ne vole da rade – pa čak iako ih ni oni sami ne vole.

„Istinski prosvetljeni ljudi, oni koji svakodnevno osećaju duboku sreću, spremni su da se odreknu kratkotrajnih zadovoljstava zbog dugoročnih ispunjenja. Oni se suštinski bave svojim slabostima i strahovima, čak iako im uranjanje u nepoznato donosi i određene nelagodnosti. Odlučili su da žive poštujući mudrost *kaizena,* stalno unapređujući svaki svoj aspekt. Vremenom, stvari koje su nekada bile teške, postaju lake.

Strahovi, koji su ih nekada sprečavali da uživaju u sreći, zdravlju i napretku koje zaslužuju, iščupani su iz korena, poput drveća koje je srušio tornado."

„Znači ti mi kažeš da moram da promenim sebe, pre nego što promenim svoj život?"

„Da. To je poput one stare priče koju mi je ispričao moj omiljeni profesor kada sam bio na pravnom fakultetu. Jedne večeri, nakon napornog dana u kancelariji, otac se odmarao čitajući novine. Želeći da se igra, sin ga je stalno gnjavio. Konačno kada mu je dozlogrdilo, otac je istrgnuo iz novina sliku globusa i iscepao je u stotinu sitnih komadića. 'Evo ti sine, pokušaj da ponovo složiš ovu sliku' rekao je nadajući se da će ovo okupirati dečaka dovoljno dugo da on može da završi sa čitanjem novina. Na njegovo čuđenje, nakon samo jednog minuta sin se vratio sa savršeno složenom slikom. Kada ga je zapanjeni otac upitao kako je to postigao, sin se ljubazno nasmešio i odgovorio: 'Tata, na drugoj strani globusa bila je slika nekog čoveka i jednom kada sam složio čoveka, svet je bio u redu."

„To je sjajna priča."

„Vidiš, Džone, najmudriji ljudi koje sam ikada upoznao, od mudraca Sivane pa do mojih profesora na Harvardu, izgleda da su svi znali ključnu formulu sreće."

„Nastavi", rekao sam sa dozom nestrpljenja.

„To je tačno ono što sam ranije već rekao: Do sreće se stiže ostvarenjem nekog vrednog cilja. Kada radiš ono što zaista voliš, sigurno ćeš naći duboko zadovoljstvo."

„Ako sreća stiže do svih onih koji jednostavno rade ono što vole, zašto je tako mnogo nesrećnih ljudi?"

„Pošteno rečeno, Džone. Da radiš ono što želiš, treba ti mnogo hrabrosti, bilo da to znači da odustaneš od posla koji trenutno radiš da bi postao glumac ili da provodiš manje vremena baveći se manje važnim stvarima da bi ti više vremena ostalo za značajnije stvari. To zahteva da iskoračiš izvan domena svoje udobnosti. Promena na početku nikad nije udobna. To je, takođe, više nego rizično. Imajući ovo u vidu, to je najsigurniji način da se stvori radosniji život."

„Kako tačno neko gradi hrabrost?"

„To je isto kao u priči: jednom kada sakupiš sebe na gomilu, svet oko tebe će biti u redu. Jednom kada ovladaš svojim umom, telom i karakterom, sreća i bogatstvo će skoro čarobno uploviti u tvoj život. Ali moraš svakog dana da radiš na sebi, pa makar to bilo samo deset ili petnaest minuta."

„A šta simbolizuje u priči Jogi Ramana, japanski sumo rvač visok blizu tri metra i težak oko četiri stotine kilograma?"

„Naš snažni prijatelj će biti tvoj trajni podsetnik na moć *kaizena,* japanske reči koja označava stalnu samo - ekspanziju i konstantni napredak."

Za samo nekoliko sati, Džulijan mi je dao najsnažnije i najupečatljivije informacije koje sam ikada u životu čuo. Naučio sam o magiji mog sopstvenog uma i o riznici njegovih potencijala. Naučio sam veoma praktične tehnike kako da umirim um i usredsredim njegovu snagu na moje želje i snove. Naučio sam koliko je važno znati krajnji smisao svog života i koliko je važno odrediti jasno definisane ciljeve u svakom aspektu svog ličnog, profesionalnog i duhovnog sveta. Sada sam bio izložen ovom večnom principu ovladavanja samim sobom: *kaizenu*.

„Kako mogu da praktikujem veštinu *kaizena*?"

„Pokazaću ti deset starih, a ipak nenadmašno efikasnih rituala, koji će da te vode duž puta ovladavanja samim sobom. Ako ih primenjuješ svakodnevno, verujući u njihovu svrsishodnost, primetićeš značajne rezultate u roku od mesec dana od danas. Ako nastaviš da ih primenjuješ tako da postanu deo tvoje rutine, a zatim i tvoje navike, sigurno ćeš dostići stanje savršenog zdravlja, beskrajne energije, trajne sreće i duševnog mira. Konačno, dostići ćeš svoju božansku sudbinu – jer to je tvoje pravo po rođenju.

„Jogi Raman mi je ponudio deset rituala duboko verujući u ono što je on nazivao njihovom 'delikatnošću' i mislim da ćeš da se složiš da sam ja živi primer njihove moći. Jednostavno tražim da slušaš šta imam da kažem i da sudiš prema svojim rezultatima."

„Rezultati koji menjaju život za samo trideset dana?", pitao sam u neverici.

„Da. *Quid pro quo** – da bi vežbao strategije koje ti nudim, ti moraš da odvojiš najmanje sat dnevno, tokom trideset uzastopnih dana. To ulaganje u samog sebe jeste sve što se traži od tebe. I molim te, nemoj mi reći da nemaš vremena."

---

* nešto za nešto, prim. prev.

„Ali, nemam", rekao sam otvoreno. „Moja praksa zaista doživljava bum. Džulijane, ja nemam ni deset minuta za sebe, a kamoli ceo sat."

„Kao što sam ti već rekao, kad kažeš da nemaš vremena za svoje usavršavanje, bez obzira da li to znači unapređivanje tvog uma ili negovanje tvog duha, to je kao da kažeš da nemaš vremena da se zaustaviš da bi kupio benzin jer si isuviše zauzet vožnjom. Na kraju će ti to doći glave."

„Stvarno?"

„Stvarno."

„Kako?"

„Dozvoli da to predstavim ovako. Ti si veoma sličan izuzetno snažnom trkačkom automobilu vrednom milione dolara, dobro podmazanom, sa visoko sofisticiranom mašinom."

„O, hvala ti, Džulijane."

„Tvoj um je najveće čudo univerzuma, a tvoje telo ima kapacitete za razne poduhvate koji mogu da te zadive."

„Slažem se."

„Znajući vrednost ove izuzetno snažne mašine vredne više miliona dolara, da li bi bilo mudro voziti je maksimalno svaki minut, svakog dana bez ikakvog zaustavljanja da bi se motor ohladio?"

„Naravno da ne bi."

„Zašto onda ti ne odvojiš svakog dana vreme za tvoju ličnu pauzu za odmor? Zašto ti ne hladiš snažan motor tvog uma? Shvataš li šta hoću da kažem?

Odvojiti vreme da obnoviš sebe, najvažnija je stvar koju možeš da uradiš. Ironično, ali vreme koje izdvojiš iz svog prenapregnutog rasporeda, za samousavršavanje i lično bogaćenje u duhovnom smislu, dramatično će poboljšati tvoju efikasnost kada se vratiš poslu.“

„Sat vremena dnevno u toku trideset dana, to je sve što se traži?“

„To je čarobna formula za kojom sam oduvek tragao. Da sam razumeo njenu važnost, verovatno bih za nju platio nekoliko miliona dolara u danima stare slave. Nisam znao da je besplatna kao i sva dragocena znanja. Imajući to u vidu, moraš da budeš disciplinovan i da svakodnevno primenjuješ strategije koje su deo formule i to sa potpunim uverenjem u njihovu vrednost.“

„Ovo nije brzopotezna metoda. Jednom kada uđeš u to, ti si u tome dugoročno.“

„Šta to znači?“

„To što ćeš provoditi sat vremena dnevno brinući se za sebe, sigurno će ti doneti dramatične rezultate u roku od trideset dana, jer ćeš raditi pravu stvar. Da bi se u potpunosti stekla nova navika, potrebno je otprilike mesec dana. Nakon tog perioda, strategije i tehnike koje ćeš naučiti biće deo tebe, poput nove kože. Ključ je u tome da moraš da nastaviš da ih upražnjavaš svakog dana, ako želiš da rezultati budu trajni.“

„Pošteno“, složio sam se. Jasno je da je Džulijan u svom životu našao ključ lične vitalnosti i unutrašnje vedrine. U suštini, njegov preobražaj od starog, bolesnog advokata u blistavog, energičnog filozofa, nije bio ništa drugo nego čudo. Tog momenta sam odlučio da posvetim sat vremena dnevno praktikovanju tehnika i principa o kojima sam slušao. Odlučio sam da radim na sopstvenom poboljšanju pre nego na promeni drugih ljudi, što jeste bila moja navika. Možda bih i ja mogao da doživim preobražaj u 'Mentl – stilu'. Svakako je vredelo pokušati.

Te večeri, sedeći na podu moje prenatrpane dnevne sobe, naučio sam ono što je Džulijan zvao 'Deset rituala blistavog života'. Neki su zahtevali malo koncentracije, a drugi su mogli da se izvode bez ikakvog napora. Ali svi su izazivali radoznalost i bogato obećavali izvanredne stvari.

„Prva strategija koju su mudraci znali bio je Ritual osamljenosti. Potrebno je samo da u tvom dnevnom rasporedu imaš obavezan period mira."

„Samo šta je to period mira?"

„To je vremenski period od najmanje petnaest, a najviše pedeset minuta, kada istražuješ isceliteljsku snagu tišine i kada dolaziš do saznanja ko si ti zapravo", objasnio je Džulijan.

„Vrsta odmora – pauze za pregrejani motor uma?", sugerisao sam uz lagani osmeh.

„To je prilično tačan način posmatranja. Da li si ikada sa porodicom dugo putovao kolima?"

„Svakako. Svakog leta vozimo dole do ostrva, da bi proveli par nedelja sa Dženinim roditeljima."

„U redu. Da li se ikada odmarate usput?"

„Da. Zbog hrane ili ako osetim da sam malo pospan nakon šest sati slušanja mojih klinaca kako se svađaju na zadnjem sedištu, ja odremam nakratko."

„Dobro, smatraj da je ritual osamljenosti kratak odmor za dušu. Njegov smisao je u samoobnavljanju, a to se radi tako što se osamimo i ogrnemo tišinom."

„Šta je to tako posebno u tišini?"

„Dobro pitanje. Osamljenost i tišina te povezuju sa tvojim kreativnim izvorom i oslobađaju bezgraničnu inteligenciju kosmosa. Vidiš Džone, um je kao jezero. U našem haotičnom svetu, umovi većine ljudi nisu mirni. Mi smo puni unutrašnjih previranja. Ipak, time što jednostavno odvojimo vreme za mir i tišinu svakog dana, jezero uma postaje glatko kao staklo. Ova unutarnja tišina donosi mnoštvo beneficija, uključujući duboko osećanje blagostanja, unutarnji mir i bezgraničnu energiju. Čak ćeš bolje da spavaš i da ponovo uživaš u osećanju balansa u svojim svakodnevnim aktivnostima."

„Gde treba da budem za vreme tog peroda mira?"

„Teoretski, možeš to da radiš bilo gde, od tvoje spavaće sobe pa do tvoje kancelarije. Poenta je u tome da nađeš istinski mirno mesto, a i lepo."

„Kako se lepota uklapa u formulu?"

„Divni prizori smiruju uznemirenu dušu", primetio je Džulijan, duboko uzdahnuvši. „Buket ruža ili samo jedan narcis imaće veoma pozitivan efekat na tvoja čula i beskrajno će te opustiti. Idealno bi bilo da uživaš u takvoj lepoti na mestu koje će ti služiti kao Utočište Sopstvenosti."

„Šta je to?“

„U osnovi, to je mesto koje će postati tvoj tajni forum za mentalnu i duhovnu ekspanziju. To može da bude gostinska soba u tvojoj kući ili jednostavno miran ćošak malog stana. Poenta je da izdvojiš mesto za aktivnosti obnavljanja, mesto koje mirno iščekuje tvoj dolazak.“

„To mi lepo zvuči. Mislim da bi bila ogromna razlika kada bih imao mirno mesto na koje mogu da odem kad dođem kući posle posla. Mogao bih za kratko vreme da se oslobodim pritiska i stresova tog dana. To bi verovatno uticalo na to da postanem mnogo bolja osoba.“

„Tu dolazimo do druge važne tačke. Ritual osamljenosti daje najbolje rezultate kada ga upražnjavaš svakog dana u isto vreme.“

„Zašto?“

„Zato što tada to postaje deo tvoje rutine. Praktikujući to svakog dana u isto vreme, dnevna doza tišine ubrzo postaje navika, koju nikada nećeš zanemariti. A pozitivne životne navike te neminovno vode ka tvojoj sudbini.“

„Još nešto?“

„Da. Ako je ikako moguće, svakoga dana komuniciraj sa prirodom. Brza šetnja kroz šumu ili čak samo nekoliko minuta provedenih u negovanju paradajza u bašti iza kuće, ponovo će oživeti izvor spokoja koji sada možda spava u tebi. Kontakt sa prirodom, omogućava ti da se uskladiš sa bezgraničnom mudrošću najvišeg stepena tvog bića. Upoznavanje samog sebe će te dovesti do neistraženih dimenzija tvoje lične moći. Nikad nemoj to da zaboraviš", savetovao me je Džulijan, povišenim glasom punim strasti.

„Da li je, Džulijane, i tebi ovaj ritual pomogao?"

„Apsolutno. Ustajao sam u zoru i prvo što bih uradio, bilo je da odem u moje tajno utočište. Tamo sam istraživao Srce ruže onoliko koliko mi je bilo potrebno. Bilo je dana kada sam sate provodio u tihoj meditaciji. Drugim danima posvetio bih tome samo desetak minuta. Rezultat je manjeviše isti: duboko osećanje unutarnje harmonije i obilje fizičke energije. A to me je dovelo do drugog rituala. To je Ritual fizikalnosti."

„Zvuči interesantno. O čemu se tu radi?"

„Odnosi se na moć fizičke nege tela."

„Uf?"

„Jednostavno je. Ritual fizikalnosti se zasniva na principu koji kaže – u zdravom telu, zdrav duh. Kako pripremaš svoje telo, tako pripremaš i svoj um. Kako vežbaš svoje telo, tako vežbaš i svoj duh. Odvoj neko vreme svakog dana da neguješ svoje telo energičnim vežbama. Neka ti krv procirkuliše i telo se pokrene. Da li znaš da ima 168 sati u nedelji dana?"

„Ne, zaista ne znam."

„Istina je. Najmanje pet sati od toga bi trebalo utrošiti na neki oblik fizičke aktivnosti. Mudraci Sivane su praktikovali drevnu disciplinu joge da bi probudili svoje fizičke potencijale i živeli jakim, dinamičnim životom. To je bio izvanredan prizor videti te fizički divne ljude, kako uprkos svojim godinama, dube na glavi u centru sela!"

„Džulijane, da li si se i ti bavio jogom? Dženi je krenula prošlog leta i kaže da joj je to produžilo život za pet godina."

„Džone, dozvoli da budem prvi koji će ti reći da ne postoji ni jedna tehnika koja će na čaroban način da transformiše tvoj život. Značajne i trajne promene nastaju kontinuiranom primenom nekoliko metoda o kojima sam ti govorio. Ali joga je jedan izuzetno efikasan način da otvoriš svoje rezerve vitalnosti. Ja vežbam jogu svako jutro i to je jedna od najboljih stvari koju radim za sebe. Ne samo da podmlađuje moje telo nego kompletno fokusira moj um. Čak je podstakla i moju kreativnost. To je strašna disciplina."

„Da li su mudraci radili još nešto u vezi sa negom tela?"

„Jogi Raman i njegova braća i sestre takođe su verovali da energična šetnja po prirodi koja te okružuje, bilo da je to visoko po planinskim stazama ili duboko u bujnim šumama, čini čuda u otklanjanju umora i vraćanju tela u njegovo prirodno stanje vibrantnosti. Kada vreme nije bilo pogodno za šetnju, vežbali bi u zaklonu svojih koliba. Oni bi možda neki obrok i propustili, ali nikada svoju dnevnu rundu vežbi."

„Šta su imali u kolibama? Mašine za brzo hodanje?", našalio sam se.

„Ne baš. Nekada bi praktikovali joga položaje. Drugi put bi ih video kako rade sklekove na jednoj ruci. Zaista mislim da nisu obraćali suviše pažnje na to šta rade, sve dok su pokretali tela i dok je svež vazduh koji su udisali punio njihova pluća."

„Kakve veze ima udisanje svežeg vazduha sa bilo čim?"

„Odgovoriću ti omiljenom poslovicom Jogi Ramana: 'Ispravno udisati znači ispravno živeti.'"

„Disanje je tako važno?", pitao sam iznenađeno.

„Mudraci u Sivani su me prilično rano naučili da je najbrži način da udvostručim ili čak utrostručim količinu energije koju imam, tako što ću ovladati veštinom efikasnog disanja."

„Ali zar svi mi ne znamo kako da dišemo, čak i novorođenče?"

„Ne sasvim, Džone. Većina nas zna kako da diše da bi preživeli, ali mi nikad nismo naučili kako da dišemo da bi napredovali. Većina nas diše isuviše plitko i na taj način mi ne unosimo dovoljno kiseonika da bi telo funkcionisalo na optimalan način."

„Zvuči kao da je ispravno disanje naučna disciplina."

„I jeste. A mudraci su to tretirali ovako. Njihova filozofija je bila jednostavna: uzimanjem više kiseonika kroz efikasno disanje, oslobađaju se energetske rezerve zajedno sa prirodnim stanjem vitalnosti."

„U redu. Odakle počinjem?"

„U suštini, to je prilično lako. Dva ili tri puta dnevno razmišljaj minut ili dva o dubljem i efikasnijem disanju."

„Kako ću da znam da li dišem efikasnije?"

„Pa, tvoj stomak treba blago da se pokreće. To pokazuje da dišeš iz abdomena, što je dobro. Trik kome me je naučio Jogi Raman je u tome da rukama obuhvatim stomak. Ako mi se ruke pokreću kada udišem, moja tehnika disanja je ispravna."

„Veoma interesantno."

„Ako ti se to dopada, onda ćeš zavoleti treći ritual blistavog življenja", kazao je Džulijan.

„A to je?"

„Ritual negovanja života. U danima kada sam bio advokat, živeo sam na šniclama, prženoj hrani i drugim vrstama nezdrave hrane. Svakako, hranio sam se u najboljim restoranima u zemlji, ali ipak sam punio svoje telo đubretom. Tada to nisam znao, ali to je bio jedan od glavnih uzroka mog nezadovoljstva."

„Zaista?"

„Da. Jednoličan način ishrane ima izraziti uticaj na tvoj život. Iscrpljuje tvoju mentalnu i fizičku energiju. Utiče na tvoje raspoloženje i sprečava da imaš bistar um. Jogi Raman je to ovako definisao: 'Kako neguješ svoje telo, tako neguješ i svoj um'."

„Pretpostavljam da si promenio način ishrane?"

„Radikalno. I to je dovelo do zadivljujuće razlike u načinu na koji sam se osećao i kako sam izgledao. Oduvek sam mislio da sam bio tako propao zbog stresova i napetosti na poslu, a i zato što su me stigle godine. U Sivani sam naučio da je glavni razlog moje letargije bilo niskooktansko gorivo kojim sam hranio svoje telo."

„Šta su jeli mudraci Sivane da bi ostali tako mladoliki i vedri?"

„Živu hranu", stigao je brz odgovor.

„Uf?"

„Odgovor je živa hrana. Živa hrana je hrana koja nije mrtva."

„Hajde, Džulijane. Šta je to živa hrana?", nestrpljivo sam pitao.

„U osnovi, živa hrana je ona koja je stvorena kroz prirodno međudelovanje sunca, vazduha, zemljišta i vode. Ono o čemu ja govorim je vegetarijanska hrana. Napuni svoj tanjir svežim povrćem, voćem i žitaricama i mogao bi večno da živiš."

„Da li je to moguće?"

„Većina mudraca je dobro prekoračila stotu i ne pokazuju znakove propadanja, a upravo sam prošle nedelje čitao u novinama o grupi ljudi koja živi na sićušnom ostrvu Okinavi u južnom kineskom moru. Istraživači su se sjatili na ostrvo jer su fascinirani činjenicom da tu živi najveći broj stogodišnjaka na svetu."

„Šta su otkrili?"

„Da je vegetarijanski način ishrane jedna od glavnih tajni njihove dugovečnosti."

„Ali da li je taj način ishrane zdrav? Ne bi pomislio da će ti dati mnogo snage. Zapamti Džulijane, ja sam još uvek poslom okupirani advokat."

„Ovo je prirodan način ishrane. Živ, vitalan i iznad svega zdrav. Mudraci su se hranili tako hiljadama godina. Oni to nazivaju *sattvic*, odnosno čista hrana. A što se tiče tvoje brige o snazi, najsnažnije životinje na planeti, od gorile pa do slona nose oznaku ponosnih vegetarijanaca. Da li si znao da je gorila oko trideset puta snažniji od čoveka?"

„Hvala ti na tako važnoj informaciji. Pravi šlag na torti."

„Gledaj, mudraci nisu ljudi krajnosti. Celokupna njihova mudrost se temelji na večnom pincipu da 'mora da se živi umereno bez ikakvih krajnosti. 'To znači, ako voliš meso, nastavi da ga jedeš. Samo zapamti da gutaš mrtvu hranu. Ako možeš, smanji količinu crvenog mesa koje jedeš. Ono je zaista teško za varenje, a pošto je probavni sistem jedan od najvećih energetskih potrošača u celom telu, tom vrstom hrane nepotrebno se troše rezerve dragocene energije. Da li shvataš na šta ciljam? Samo uporedi svoj energetski nivo nakon što si pojeo šniclu sa onim nakon što si pojeo salatu. Ako ne želiš da postaneš strogi vegetarijanac, barem kreni da jedeš salatu uz svaki obrok i voće kao desert. Čak i to će napraviti ogromnu promenu u kvalitetu tvog fizičkog života."

„Ne izgleda da će biti preteško da tako uradim", od govorio sam. „Mnogo sam slušao o snazi vegetarijanskog načina ishrane. Upravo prošle nedelje Dženi mi je ispričala o nekim ispitivanjima rađenim u Finskoj kada je trideset i osam posto novih vegetarijanaca izjavilo da se osećaju daleko manje umorni i mnogo življi nakon samo sedam meseci tog novog načina života. Treba da počnem da jedem salatu uz svaki obrok. Gle dajući tebe, salata bi čak mogla da mi bude obrok."

„Izdrži mesec dana i sudi prema sopstvenim rezultatima. Osećaćeš se fenomenalno."

„U redu. Ako je to dovoljno dobro za mudrace, dobro je i za mene. Obećavam da ću pokušati. Ne zvuči kao preveliki napor, a uostalom sit sam raspaljivanja roštilja svako veče.“

„Ako sam te ubedio da usvojiš Ritual negovanja života, mislim da ćeš zavoleti i četvrti ritual.“

„Tvoj student još uvek drži svoju praznu šolju.“

„Četvrti ritual je poznat kao Ritual obilja znanja. Temelji se na ideji permanentnog obrazovanja tokom celog života i širenja baze podataka za tvoje dobro i dobro svih oko tebe.“

„Stara ideja 'znanje je moć'?“

„Džone, ovo uključuje mnogo više od toga. Znanje je samo *potencijalna* moć. Da bi se moć izrazila, mora da se primeni. Većina ljudi zna kako to da učini u bilo kojoj situaciji ili u svom životu. Problem je što oni ne primenjuju svoje znanje svakodnevno da bi ostvarili svoje snove. Ritual obilja znanja je u potpunosti posvećen proučavanju života. Što je još važnije, on zahteva da koristiš sva znanja stečena u školi života.“

„Šta su radili Jogi Raman i ostali mudraci da bi održali taj ritual?“

„Imali su mnogo podrituala koje su izvodili svaki dan, da bi doprineli Ritualu obilja znanja. Jedna od najvažnijih strategija je ujedno i jedna od najjednostavnijih. Ti čak možeš i danas početi da je primenjuješ.“

„To mi neće oduzeti previše vremena, zar ne?“

Džulijan se nasmejao. „Ove tehnike, metode i saveti koje ti dajem učiniće te mnogo produktivnijim i efikasnijim nego što si bio ikad pre. Ne budi sitničav.

„Seti se onih koji kažu da nemaju vremena da memorišu na disketi svoj rad na kompjuteru, jer su previše zauzeti time što rade. Međutim, kada se mašina pokvari i meseci napornog rada budu izgubljeni, oni tada žale što nisu odvojili nekoliko trenutaka dnevno za memorisanje. Shvataš li šta hoću da kažem?"

„Prioriteti su na prvom mestu?"

„Tačno. Probaj da živiš izvan stega svog poslovnog rasporeda. Umesto toga usredsredi se na ono što ti tvoja savest i srce nalažu da radiš. Kada investiraš u sebe i počneš da se posvećuješ tome da svoj um, telo i karakter dovedeš do najvišeg nivoa, osećaćeš se skoro kao da imaš neki lični kompas unutar sebe, koji ti kaže šta moraš da radiš da bi dobio najveće i najoptimalnije rezultate. Prestaćeš da brineš o svojoj satnici i počećeš da živiš."

„Shvatio sam poentu. Dakle, koji su to jednostavni podrituali koje hoćeš da me naučiš?", upitao sam.

„Redovno čitaj. Trideset minuta čitanja dnevno, učiniće čuda za tebe. Ali moram da te upozorim. Nemoj da čitaš bilo šta. Moraš veoma pažljivo da biraš ono što unosiš u bujnu baštu tvog uma. To mora da bude beskrajno oplemenjujuće. Nešto što će poboljšati i tebe i kvalitet tvog života."

„Šta su čitali mudraci?"

„Provodili su mnogo vremena čitajući i ponovo iščitavajući drevna učenja njihovih predaka. Gutali su tu filozofsku literaturu. Još uvek se sećam tih prelepih ljudi kako sede na stoličicama od bambusa i čitaju čudnovato uvezane knjige sa finim smeškom prosvetljenja na usnama. Tek u Sivani sam zaista shvatio pravu moć knjige i princip da je knjiga najbolji prijatelj mudrih."

„Dakle treba da krenem da čitam svaku dobru knjigu koja mi dođe pod ruku?"

„Da i ne", stigao je odgovor. „Nikad ti ne bih rekao da ne čitaš koliko god možeš. Ali upamti, neke knjige se samo probaju, neke se žvaću, i konačno, neke se cele gutaju. A to nas dovodi do jednog drugog zaključka."

„Da si gladan?"

„Ne, Džone nisam." Džulijan se nasmejao. „Jednostavno hoću da ti kažem da bi zaista dobio najbolje od neke sjajne knjige, ti moraš da je prostudiraš, ne samo da je čitaš. Idi kroz nju kao što to činiš sa ugovorima koje ti donose tvoji veliki klijenti, kada traže mišljenje pravnika. Zaista se pozabavi tom knjigom, razmišljaj o njoj, sjedini se s njom. Mudraci bi čitali mnoge knjige o mudrosti iz njihove ogromne biblioteke i po deset ili petnaest puta. Tretirali su velike knjige kao spise, sveta dokumenta ili božanski izvor."

„Vau. Čitanje je zaista tako važno?"

„Trideset minuta dnevno će uneti neverovatnu različitost u tvoj život, jer ćeš brzo videti ogromne rezervoare znanja koji ti stoje na raspolaganju. U njima leži odgovor na svaki problem sa kojim si se ikad suočio. Ako želiš da budeš bolji advokat, otac, prijatelj ili ljubavnik, postoje knjige koje će te približiti tim ciljevima. Sve greške koje si ikada napravio u svom životu, već je neko pre tebe uradio. Zar zaista misliš da su izazovi sa kojima se suočavaš, jedinstveni?"

„Džulijane, ja nikada nisam ni razmišljao o tome. Ali shvatam šta mi govoriš i znam da si u pravu."

„Svi problemi sa kojima se iko ikada sreo, ili će se sresti u toku svog života, već su postojali", izjavio je Džulijan. „Što je još važnije, svi odgovori i rešenja su zabeleženi u knjigama. Čitaj prave knjige. Nauči kako su se tvoji prethodnici izborili sa izazovima sa kojima se ti trenutno boriš. Primeni njihove metode uspeha i bićeš zadivljen napretkom u svom životu."

„Koje su knjige 'prave knjige'?", upitao sam, shvativši brzo da je Džulijanov stav sjajan.

„Prijatelju, to ću ostaviti tebi da procениš. Otkako sam se vratio sa istoka, veći deo vremena sam proveo čitajući biografije žena i muškaraca kojima se divim."

„Možeš li da preporučiš neki naslov mladom štreberu?", pitao sam široko se osmehujući.

„Svakako. Dobro će ti doći biografija velikog amerikanca Bendžamina Frenklina. Isto tako mislim da ćeš naći veliki podsticaj u autobiografiji Mahatme Gandija pod nazivom *Priča o mojim eksperimentima sa istinom*. Zatim ti predlažem da pročitaš *Sidartu* Hermana Hesea, veoma praktičnu filozofiju Marka Aurelija i neke radove Seneke. Mogao bi čak da pročitaš *Misli i bogato odrasti* Napoleona Hila. Ja sam to pročitao prošle nedelje i mislim da je veoma dobro."

„*Misli i bogato odrasti*", uzviknuo sam. „Mislio sam da si ti sve to ostavio iza sebe, nakon infarkta. Meni je zaista muka i umoran sam od svih tih 'uputstava kako brzo napraviti pare' koja reklamiraju trgovci namazani svim mastima, vrebajući slabiće."

„Polako, čoveče! Ne bih mogao više da se složim s tobom", rekao je Džulijan sa svom toplinom i strpljenjem mudrog, voljenog dede. „Takođe želim da povratim etiku u naše društvo. Ta mala knjiga ne govori o pravljenju mnogo para, ona govori kako napraviti mnogo od života. Ona će biti prva koja će ti reći da postoji ogromna razlika između biti dobro i biti dobrostojeći. Ja sam to proživeo i znam bol života kojim rukovodi novac. *Misli i bogato odrasti* se bavi obiljem, uključujući duhovno bogatstvo i kako privući sve što je dobro u svoj život. Biće dobro da to pročitaš. Ali ja te neću pritiskati."

„Izvini Džulijane, nisam hteo da zvučim kao agresivni advokat", izvinjavao sam se. „Pretpostavljam da nisam uvek ovakav. Još jedna stvar koju moram da poboljšam. Ja sam zaista zahvalan za sve što deliš sa mnom."

„Nema problema, bilo pa prošlo. Moje geslo je jednostavno: Čitaj i nastavi da čitaš. Da li želiš da saznaš još nešto interesantno?"

„Šta?"

„Nije ono što ćeš ti dobiti iz knjiga to što tako obogaćuje, već će ono što će knjige izvući iz tebe, definitivno promeniti tvoj život. Vidiš Džone, knjige te za - pravo ne uče ničem novom."

„Stvarno?"

„Stvarno. Knjige ti jednostavno pomažu da vidiš ono što je već unutar tebe. A prosvetljenje i jeste upravo to. Nakon svih mojih putovanja i istraživanja, shvatio sam da sam u stvari napravio pun krug i vratio se na tačku sa koje sam krenuo kao mladić. Ali sada ja poznajem sebe, sve što jesam i što mogu da budem.“

„Dakle Ritual obilja znanja je u celosti posvećen čitanju i istraživanju mnoštva informacija?“

„Delimično. Za sada, čitaj trideset minuta dnevno. Ostalo će doći prirodno.“ Džulijan je to rekao sa dozom tajanstvenosti.

„U redu, šta je peti ritual blistavog življenja?“

„To je Ritual lične refleksije. Mudraci su čvrsto verovali u moć unutrašnjeg razmatranja. Upoznavanjem samog sebe, povezaćeš se sa dimenzijom svog bića za koju nisi nikad ni znao da postoji.“

„Zvuči prilično filozofski.“

„To je u suštini veoma praktičan koncept. Vidiš, svi mi imamo mnogo latentnih talenata. Upoznavanjem ih negujemo. Ipak, tiho razmišljanje će učiniti i više od toga. Ova praksa će te učiniti jačim, mudrijim, bližim samom sebi. To je veoma plodonosan način korišćenja uma.“

„Džulijane, još uvek mi se pomalo vrti u glavi od tog koncepta.“

„Pošteno kažeš. I meni je to bilo strano kad sam prvi put čuo. Pojednostavljeno do maksimuma, lična refleksija nije ništa drugo nego navika da se misli.“

„Ali zar mi svi ne mislimo? Zar to nije deo ljudskog bića?“

„Dobro, većina nas misli. Problem je što većina ljudi misli samo onoliko koliko je potrebno da preživi. Ono o čemu ja govorim jeste misliti dovoljno da bi se napredovalo. Kada budeš čitao biografiju Bena Frenklina shvatićeš na šta mislim. Svake večeri, nakon dana ispunjenog produktivnim radom, on bi se povukao u miran kutak svog doma i razmišljao o proteklom danu. Razmatrao bi sve svoje poteze, da li su bili pozitivni i konstruktivni ili su bili negativni i treba ih popraviti. Jasnim saznanjem šta je loše radio, on je odmah mogao da preduzme korake da to poboljša i da napreduje na putu ovladavanja samim sobom. Mudraci su činili to isto. Svake noći, oni bi se povukli u zaklon svojih kolibica pokrivenih mirišljavim ružinim laticama i sedeli bi duboko razmišljajući. Jogi Raman je u stvari vodio i svoj dnevnik.“

„Šta je zapisivao u njemu?“, pitao sam.

„Prvo bi naveo listu svih svojih aktivnosti, od jutarnje lične higijene pa do odnosa sa drugim mudracima kada su išli u šumu u potrazi za drvetom za potpalu ili svežom hranom. Interesantno, on je isto tako pisao i misli koje su mu prolazile kroz glavu tokom određenog dana.“

„Zar to nije teško da se radi? Ja teško mogu da se setim na šta sam mislio pre pet minuta, a kamoli pre dvanaest sati.“

„Nije, ako to svakodnevno praktikuješ. Vidiš, svako može da postigne to što sam ja postigao. Svako. Pro - blem je u tome što previše ljudi pati od iscrpljujuće bolesti koja je poznata kao *opravdavanje*.“

„Mislim da je moguće da sam i ja imao veze s tim u prošlosti“, rekao sam potpuno svestan o čemu priča moj mudri prijatelj.

„Prestani da izmišljaš opravdanja i samo uradi to!", uzviknuo je Džulijan, glasom koji je odzvanjao snagom ubeđenja.

„Uradi šta?"

„Odvoj vreme da razmišljaš. Stekni naviku da redovno vršiš ličnu introspekciju. Kada bi Jogi Raman naveo u jednoj koloni listu svega što je uradio i svega što je mislio, on bi onda u drugoj koloni davao ocenu. Kada bi se suočio sa svojim aktivnostima i mislima u pisanoj formi, zapitao bi samog sebe da li je to bilo pozitivno u osnovi. Ako je bilo, on bi odlučio da nastavi da troši svoju dragocenu energiju na to, jer na duge staze to je rađalo krupnim plodom."

„A ako je bilo negativno?"

„Tada bi smislio jasan plan šta treba da preduzme da bi se oslobodio toga."

„Mislim da bi mi neki primer pomogao."

„Da li može lični?", pitao je Džulijan.

„Naravno. Ja bih voleo da znam neke tvoje najdublje misli", predložio sam.

„U stvari ja sam mislio na tvoje."

Počeli smo obojica da se kikoćemo kao klinci u školskom dvorištu.

„U redu. Ti si uvek dobijao ono što hoćeš."

„Dobro, hajde da krenemo od nekoliko stvari koje si danas uradio. Napiši ih na parčetu papira ovde na stolu." Džulijan je davao instrukcije.

Počeo sam da uviđam da će se desiti nešto važno. Ovo je bio prvi put u nizu godina da sam ja stvarno odvojio vreme da razmišljam samo o stvarima koje sam radio i mislima koje su mi prolazile kroz glavu. Sve je to bilo tako strano, a ipak tako inteligentno. Napokon, kako bih mogao da se nadam da ću unaprediti sebe i svoj život ako nisam našao vreme čak ni da izdvojim šta je to što bi trebalo da se poboljša?"

„Odakle da počnem?", upitao sam.

„Počni sa onim što si jutros radio i nastavi sa onim što si radio u toku dana. Samo navedi neke najvažnije stvari, mi imamo još dosta toga da pričamo i ja želim da se vratim za par minuta na priču Jogi Ramana."

„Ukratko. Probudio sam se u pola sedam na zvuk mog električnog petla", našalio sam se.

„Uozbilji se i nastavi", čvrsto je odgovorio Džulijan.

„U redu. Zatim sam se istuširao i obrijao, zgrabio keks i odjurio na posao."

„A šta je sa tvojom porodicom?"

„Oni su svi spavali. U svakom slučaju, kada sam stigao u kancelariju, primetio sam da me moj klijent sa kojim sam imao zakazan sastanak u pola osam, čeka od sedam sati i da je besan kao furija!"

„Kako si ti reagovao na to?"

„Branio sam se, šta je trebalo da uradim, da ga pustim da mi komanduje?"

„Hm. U redu. Šta se zatim desilo?"

„Pa, stvari su krenule od lošeg na gore. Sud je zvao i rekli su mi da sudija Vajldabist hoće da me vidi u svom kabinetu i ako ne budem tamo u roku od deset minuta 'glave će da padaju'. Sećaš se Vajldabista, zar ne?

Ti si mu dao nadimak sudija Divlja Zver* nakon što te je držao u nemilosti jer si parkirao svoj ferari na njegovom parkingmestu!", setio sam se, prasnuvši u smeh.

„Morao si toga da se setiš, zar ne?", odgovorio je Džulijan, a oči su mu otkrivale ostatke onog đavolastog svetlucanja, po kome je nekad bio veoma poznat.

„Tako sam odjurio do suda i imao okršaj i sa jednim od službenika. Kada sam se vratio u kancelariju, čekalo me je dvadeset sedam telefonskih poruka, sve sa oznakom 'hitno'. Da li treba da nastavim?"

„Molim te."

„Na povratku kući, Dženi me je pozvala i zamolila da svratim do njene majke i pokupim jednu od izvanrednih pita po kojima je moja tašta poznata. Problem je bio u tome što sam se kada sam tu skrenuo sa autoputa, našao usred takvog saobraćajnog kolapsa, kakav nisam video godinama. I eto me gde sam bio, usred saobraćajnoj špica, na temperaturi od 35 C°, pod stresom, svestan da vreme brzo prolazi."

„Kako si reagovao?"

„Psovao sam saobraćaj", sasvim pošteno sam odgovorio. „U stvari drao sam se unutar mojih kola. Hoćeš li da znaš šta sam govorio?"

„Ne mislim da bi to bilo nešto lepo što bi negovalo baštu mog uma", odgovorio je Džulijan blago se smešeći.

„Ali bi moglo da bude dobro đubrivo."

---

* igra reči vajld bist – divlja zver prim. prev.

„Ne, hvala. Možda bi trebalo ovde da stanemo. Odvoj trenutak i pogledaj tvoj dan. Očigledno je, kad pogledaš unazad, da postoji u najmanju ruku nekoliko stvari koje bi uradio drugačije da si imao priliku."

„Tako je."

„Kao na primer?"

„Hm. Dobro, prvo u savršenom svetu ja bih ustao ranije. Ne mislim da sebi činim ikakvu uslugu time što jurim. Voleo bih da imam malo mira ujutro i da mi dan počne mirno. Čini mi se da bi mi tehnika Srce ruže o kojoj si mi ranije govorio, dobro došla. Takođe bih zaista voleo da se porodično okupimo na doručku, makar samo i za činiju cerealija. To bi mi dalo bolji osećaj ravnoteže. Uvek mi se čini da ne provodim dovoljno vremena sa Dženi i decom."

„Ali ovo jeste savršen svet i ti imaš savršen život. Ti imaš moć da kontrolišeš svoj dan. Imaš moć da misliš dobre misli. Imaš moć da obistiniš svoje snove!", primetio je Džulijan povišenim tonom.

„Shvatam ja to. Zaista počinjem da osećam da se menjam."

„Sjajno. Nastavi da se prisećaš svog dana", uputio me je.

„Dobro, želeo bih da se nisam izvikao na klijenta. Voleo bih da se nisam svađao sa službenikom u sudu i da nisam vrištao na saobraćaj."

„Saobraćaj se ne računa, zar ne?"

„To je i dalje samo saobraćaj", primetio sam.

„Mislim da sada vidiš moć Rituala lične refleksije. Posmatranjem onoga šta radiš, kako provodiš vreme i misli koje misliš, daješ sebi merilo kojim meriš napredak. Jedini način da poboljšaš sutra jeste da znaš šta si loše uradio danas."

„I da imam jasan plan da se to ne bi desilo ponovo?", dodao sam.

„Tačno tako. Nema ničeg lošeg u pravljenju grešaka. Greške su deo života i osnova rasta. To je poput one izreke: Do sreće se stiže preko dobre procene, do dobre procene vodi nas iskustvo, a iskustvo se stiče lošom procenom. Ali postoji nešto veoma loše kada se greške ponavljaju iz dana u dan. To pokazuje potpuno odsustvo samosvesti, kvaliteta koji odvaja ljudska bića od životinja."

„Nisam nikad ranije čuo za to."

„Da, to je istina. Samo ljudska bića mogu sebe da posmatraju sa strane i analiziraju šta rade dobro, a šta loše. Pas to ne može. Ptica to ne može. Čak ni majmun ne može. Ali ti možeš. Na to se odnosi Rritual lične refleksije. Pronađi šta je dobro, a šta loše u tvom danu i tvom životu. Zatim gledaj da to istog momenta po - boljšaš."

„Džulijane, mnogo je toga o čemu treba da se misli. Mnogo", ponovio sam refleksno.

„Da razmislimo o šestom ritualu blistavog življenja: Ritual ranog buđenja."

„Uf. Mislim da znam šta sledi."

„Jedna od najboljih stvari koje sam naučio u toj dalekoj oazi Sivani, jeste ta da ustajem u zoru i da mi dan počne dobro. Većina nas spava daleko više nego što je potrebno. Prosečna osoba može da spava šest sati i ostane savršeno zdrava i čila. Spavanje nije ništa drugo nego navika kao i svaka druga navika, a ti sebe možeš da istreniraš da postigneš rezultat kakav god hoćeš, u ovom slučaju da manje spavaš."

„Ali ako ustanem isuviše rano, ja se zaista osećam iscrpljeno", rekao sam.

„Prvih nekoliko dana, osećaćeš se veoma umorno. Slobodno ću to da kažem. Možda ćeš se tako osećati prve nedelje ranog ustajanja. Molim te posmatraj to kao malu dozu kratkoročnog bola radi velike doze dugoročnog dobitka. Kad god usvajaš novu naviku, osećaćeš se pomalo neugodno. To ti je kao kad obučeš nov par cipela, u početku je malo teže ići u njima, ali uskoro prijanjaju kao rukavice. Kao što sam ti već rekao, bol često prethodi ličnom razvoju. Ne plaši se toga. Bolje prihvati to."

„U redu. Dopada mi se ideja da se izvežbam da ustajem ranije. Dozvoli mi da te najpre upitam šta znači 'rano'?"

„Još jedno lepo pitanje. Nema idealnog vremena. Kao i sve drugo što sam podelio sa tobom do sada, uradi ono što je dobro za tebe. Zapamti upozorenje Jogi Ramana: 'Ni u čemu ne preterivati, u svemu biti umeren'."

„Ustajati sa izlaskom sunca, zvuči preterano."

„U stvari nije. Postoji samo nekoliko stvari prirodnijih od ustajanja sa prvim zracima novog dana. Mudraci su verovali da je sunčev sjaj nebeski dar i vodili su računa da mu se ne izlažu preterano, ali su se redovno sunčali i često si mogao da ih vidiš kako plešu na ranom jutarnjem suncu. Čvrsto verujem da je to bila jedna od ključnih stvari njihove izvanredne dugovečnosti."

„Da li se ti sunčaš?", pitao sam.

„Apsolutno. Sunce me podmlađuje. Kada sam umoran, drži me u dobrom raspoloženju. Drevna kultura istoka je smatrala da je sunce veza sa dušom. Ljudi su obožavali sunce, jer je negovalo njihova tela kao i njihov duh. Sunčeva svetlost će osloboditi tvoju vitalnost i povratiti tvoj emotivni i fizički sjaj. Ono je divan lek kada se, naravno, koristi umereno. Joj, ja sam skrenuo sa teme. Poenta je ustajati rano svakog dana."

„Hm. Kako da taj ritual postane deo moje rutine?"

„Evo ti nekoliko saveta na brzinu. Prvo, nemoj nikada da zaboraviš da je važan kvalitet, a ne kvanitet sna. Bolje je spavati šest sati neprekinutim dubokim snom nego čak deset sati istrzanim snom. Suština je da se tvoje telo odmori tako da prirodni procesi u njemu mogu da poprave tvoje fizičke dimenzije, i povrate ih u njihovo prirodno zdravstveno stanje, stanje koje se svakodnevno troši kroz stresove i naprezanja. Mnoge navike mudraca su se zasnivale na principu da je prioritet kvalitet odmora, a ne količina sna. Na primer, Jogi Raman ne bi nikad jeo posle osam sati uveče. Govorio je da bi probava prouzrokovana kasnim jelom, smanjila kvalitet njegovog sna. Drugi primer bila bi navika mudraca da meditiraju uz mekane zvuke harfe, upravo pre utonuća u san."

„Šta se krilo u pozadini toga?“

„Dozvoli, Džone, da ja tebe to pitam. Šta radiš svake večeri pre spavanja?“

„Gledam vesti sa Dženi, kao i većina ljudi koje znam.“

„Tako sam i mislio“, odgovorio je Džulijan sa misterioznim bleskom u očima.

„Ne razumem. Šta može da bude loše u tome da malo gledam vesti pre spavanja?“

„Period od deset minuta pre spavanja i deset minuta nakon što se probudiš i te kako utiču na tvoju podsvest. Samo vesele i najinspirativnije misli treba da se programiraju u to vreme u tvoj um.“

„Govoriš kao da je um kompjuter.“

„To je prilično ispravan način posmatranja – šta ubaciš unutra, to i dobiješ napolje. Čak je mnogo važnija činjenica da ti sam budeš programer. Određivanjem misli koje ulaze unutra, ti takođe precizno određuješ šta će izaći napolje. Zato, pre spavanja ne gledaj vesti, ne svađaj se ni sa kim, nemoj čak ni da prelaziš u mislima sve što ti se dešavalo tog dana. Opusti se. Ako želiš, popij šolju biljnog čaja. Slušaj neku prijatnu klasičnu muziku i pripremi se da utoneš u bogat, okrepljujući san.“

„To ima smisla. Što bolje spavam, manje će mi sna trebati.“

„Tačno. I upamti drevno Pravilo dvadeset i jedan: bilo šta što radiš dvadeset i jedan dan za redom, postaće navika. Zato se potrudi da otprilike tri nedelje rano ustaješ, pre nego što odustaneš jer ti to ne prija. Do tada će to već postati deo tvog života. Na kratku komandu, bićeš u stanju da ustaneš sa lakoćom u pola šest ili čak u pet sati, spreman da okusiš čari još jednog divnog dana.“

„U redu, recimo da ustajem svakog dana u pola šest. I šta ću da radim?“

„Prijatelju, tvoje pitanje pokazuje da misliš. Cenim to. Jednom kad si ustao, ima mnogo stvari koje možeš da uradiš. Osnovni princip, koji treba da imaš na umu, jeste koliko je važno *da dobro počneš dan*. Kao što sam ti već sugerisao, misli koje ti padaju na pamet i akcije koje preduzimaš u prvih deset minuta nakon što se probudiš, jako puno utiču na ostatak tvog dana.“

„Ozbiljno?“

„Apsolutno. Misli pozitivno. Zahvali se na svemu što imaš. Napravi listu zahvalnosti Slušaj neku dobru muziku. Gledaj kako sunce izlazi ili se brzo prošetaj po prirodi u okolini, ako osećaš da si raspoložen za to. Mudraci bi se smejali bilo da su bili raspoloženi za to ili ne, samo da bi 'sokovi sreće' potekli njima od ranog jutra.“

„Džulijane, ja se veoma trudim da moja šolja bude prazna i mislim da ćeš se složiti da sam prilično dobar za početnika. Ali to stvarno zvuči čudno, čak i za grupu mudraca koji žive visoko u Himalajima.“

„Ali nije. Pogodi, koliko puta se prosečan četvoro-godišnjak smeje u toku dana?“

„Ko zna?“

„Ja znam. Trista puta. Sad pogodi koliko puta se u toku dana nasmeje prosečan odrastao čovek u našem društvu?"

„Pedeset?", pokušao sam.

„Probaj petnaest", odgovorio je Džulijan, zadovoljno se smešeći. „Shvataš o čemu govorim? Smeh je lek za dušu. Čak i ako se ne osećaš tako, pogledaj u ogledalo i smej se par minuta. Ne možeš da pomogneš ali se osećaš fantastično. Vilijam Džejms je rekao: 'Mi se ne smejemo zato što smo srećni. Mi smo srećni jer se smejemo.' Zato počni dan u dobrom raspoloženju. Smej se, igraj i zahvaljuj na svemu što imaš. Svaki dan će biti divan dan, ispunjen zadovoljstvom."

„Šta ti radiš da bi počeo svoj slobodan dan, pozitivno raspoložen?"

„U stvari, ja sam razvio prilično sofisticiranu jutarnju rutinu, koja uključuje sve – od tehnike Srce Ruže, pa do ispijanja nekoliko čaša sveže isceđenog voćnog soka. Ali ima nešto što bih naročito želeo da podelim s tobom."

„Zvuči važno."

„I jeste. Odmah nakon što se probudiš, otidi u svoje utočište tišine. Budi miran i koncentriši se. Zatim se zapitaj: 'Šta bih danas radio, da mi je ovo poslednji dan života?' Ključ je u tome da stvarno shvatiš značenje tog pitanja. Mentalno izlistaj sve stvari koje bi radio, ljude koje bi zvao i trenutke u kojima bi uživao. Zamisli sebe da to sve radiš sa velikom energijom. Sagledaj kako bi se ophodio prema porodici i prijateljima. Zamisli čak i kako bi se ponašao prema potpunim neznancima ako bi današnji dan bio tvoj poslednji na ovoj planeti. Kao što sam ti već rekao, ako svakog dana živiš kao da ti je poslednji, tvoj život će dobiti čaroban kvalitet.

„A ovo me dovodi do sedmog rituala blistavog življenja: Ritual muzike."

„Mislim da će mi se taj dopasti", odgovorio sam.

„Siguran sam da hoće. Mudraci su obožavali njihovu muziku. To im je davalo podjednak duhovni podsticaj, kao i sunce. Muzika ih je uveseljavala, plesali su i pevali. Isto tako će uticati i na tebe. Nikad ne zaboravi na moć muzike. Svakog dana je slušaj po malo, čak i ako je to neki nežan komad na kaseti koju slušaš dok se voziš na posao. Kada si depresivan i zabrinut, pusti neku muziku. Znam da je to jedan od najboljih pokretača."

„Osim tebe!", iskreno sam uzviknuo. „Samo to što te slušam, čini da se osećam sjajno. Ti si se, Džulijane, zaista promenio i to ne samo spolja. Nestao je tvoj stari cinizam. Nestala je tvoja pređašnja negativnost. Tvoja stara agresivnost. Ti zaista izgledaš kao neko ko je u miru sam sa sobom. Ganuo si me noćas."

„Hej, ima još!", povikao je Džulijan sa pesnicom dignutom u vazduh. „Hajde da nastavimo."

„Na isti način."

„U redu. Osmi ritual je Ritual izgovorene reči. Mudraci su imali seriju mantri koje su izgovarali ujutro, u podne i uveče. Rekli su mi da im to strahovito pomaže da budu sabrani, jaki i srećni."

„Šta je mantra?", upitao sam.

„Mantra nije ništa drugo, nego skup reči nanizanih zajedno da bi stvorile pozitivan efekat. U Sanskritu, 'man' znači um a 'tra' znači oslobađanje. Tako da je mantra fraza stvorena da oslobodi um. I veruj mi Džone, mantre ispunjavaju tu svrhu na jedan veoma delotvoran način."

„Da li koristiš mantre za vreme uobičajenih dnevnih aktivnosti?"

„Svakako. One su moji verni pratioci gde god da idem. Bilo da sam u autobusu, na putu u biblioteku ili posmatram ljude koji šetaju po parku, ja neprekidno mantrama potvrđujem sve što je dobro u mom svetu."

„Dakle, mantre se izgovaraju?"

„Ne moraju. I pisane afirmacije su takođe veoma efikasne. Ali ja sam otkrio da glasno ponavljanje mantri divno utiče na moj duh. Kada mi je potrebno da se osećam motivisan, mogu da ponavljam naglas: 'Ja imam inspiraciju, disciplinovan sam i pun energije' dvesta-trista puta. Da bih održao vrhunsko osećanje samopouzdanja koje sam odnegovao, ponavljam: 'Ja sam jak, sposoban i smiren.' Ja čak koristim mantre da bih održao svoju vitalnost i mladolikost", priznao mi je Džulijan.

„Kako može mantra da te održava mladim?"

„Reči veoma utiču na um. Bilo da su izgovorene ili napisane, imaju veoma snažan uticaj. Koliko god je važno ono što kažeš drugima, još je važnije ono što kažeš samom sebi."

„Razgovor sa samim sobom?"

„Tačno. Ti si ono o čemu razmišljaš tokom dana. Ti si isto tako i ono što kažeš samom sebi tokom dana. Ako kažeš da si star i umoran, ta mantra će se manifestovati u tvojoj spoljašnjoj realnosti. Ako kažeš da si slab i da ti nedostaje entuzijazam i to će, takođe, da bude priroda tvog sveta. Ali ako kažeš da si zdrav, dinamičan i pun života, tvoj život će se promeniti. Shvataš, reči koje upućuješ sebi utiču na sliku koju imaš o sebi, a ta predodžba određuje kakve ćeš akcije preduzeti. Na primer, ako tvoja predodžba o sebi kaže da si ti osoba kojoj nedostaje samopouzdanje da uradi bilo šta vredno, ti ćeš biti u stanju samo da se baviš stvarima koje su u skladu s tim. S druge strane, ako tvoja predstava o samom sebi kaže da si ti sjajna osoba bez straha, ponavljam, sve tvoje akcije će odgovarati tom kvalitetu. Tvoja slika o samom sebi je neka vrsta samoostvarujućeg proročanstva.“

„Kako to misliš?“

„Ako veruješ da nisi sposoban da nešto uradiš, hajde da kažemo da nađeš savršenog partnera za život ili da živiš bez stresova, tvoja uverenja će da utiču na tvoju predstavu o samom sebi. Za uzvrat, tvoja slika o samom sebi će te sprečiti da preduzmeš korake da pronađeš savršenog partnera ili da sebi stvoriš veseo život. U stvari, to će saseći bilo kakav trud koji bi ti mogao da uložiš u tom pravcu.“

„Zašto se to dešava na taj način?“

„Jednostavno. Tvoja predodžba o samom sebi je neka vrsta šefa. Ona nikada neće dozvoliti da se ti ponašaš na način koji nije u skladu sa njom. Divna stvar je to što ti možeš da promeniš sliku o samom sebi, kao što možeš da promeniš i sve drugo u svom životu ako to ne služi promeni nabolje. Mantre su divan način da se to ostvari."

„A kada promenim svoj unutrašnji svet, promeniću i svoj spoljašnji svet", poslušno sam rekao.

„Kako ti brzo učiš", odgovorio mi je Džulijan, podignuvši palac uvis u znak odobravanja, znak koji je često koristio kao vrhunski advokat u svom pređašnjem životu.

„A to nas sasvim lepo dovodi do devetog rituala blistavog življenja. To je Ritual skladnog karaktera. To je neka vrsta produžetka koncepta o vlastitoj predodžbi, o kome smo upravo govorili. Jednostavno rečeno, ovaj ritual zahteva da svakodnevno činiš sve više i više kako bi izgradio svoj karakter. Jačanje karaktera utiče na način na koji vidiš sebe i akcije koje preduzimaš. Dela koja činiš zajedno formiraju tvoje navike i ovo je važno, tvoje navike te vode ka tvojoj sudbini. Možda je Jogi Raman to najbolje formulisao kada je rekao: 'Misli stvaraju dela. Dela formiraju navike. Navike grade karakter. Karakter oblikuje sudbinu.'"

„Kakvim mislima treba da se bavim da bi izgrađivao svoj karakter?"

„Bilo kojim koje neguju tvoje vrline. Pre nego što me upitaš šta mislim pod 'vrlinama', dozvoli mi da ti pojasnim koncept. Mudri ljudi na Himalajima su čvrsto verovali da je život pun vrlina, život sa smislom. U svemu što su radili, rukovodili su se nizom večnih principa."

„Ali čini mi se da si rekao da su upravljali svojim životima vođeni njihovom svrhom?"

„Da, to je u priličnoj meri tako, ali smisao njihovog života je uključivao način života u skladu sa ovim principima, koje su njihovi preci cenili hiljadama godina."

„Džulijane, koji su to principi?", upitao sam.

„To su pojednostavljeno rečeno: marljivost, samilost, skromnost, strpljenje, poštenje i hrabrost. Kada sva tvoja dela budu u skladu sa ovim principima, osetićeš duboko unutarnje osećanje harmonije i mira. Takav način života će te neminovno voditi ka duhovnom uspehu. To je zato što ćeš činiti ono što je ispravno. Ponašaćeš se u skladu sa zakonima prirode i zakonima univerzuma. Tada ćeš početi da koristiš energiju druge dimenzije. Nazovi to višom silom, ako hoćeš. To je faza kada tvoj život prelazi iz običnog u domen neobičnog i ti počinješ da osećaš svetost svog bića. To je prvi korak životnog prosvetljenja."

„Da li si ti prošao to iskustvo?", upitao sam.

„Jesam i verujem da ćeš i ti. Radi prave stvari. Ponašaj se u skladu sa svojim pravim karakterom. Deluj celovito. Neka te vodi tvoje srce. Ostalo će se dešavati samo od sebe. Znaš da nisi nikad sam", odgovorio je Džulijan.

„Šta to znači?"

„Možda ću ti to objasniti drugi put. Za sada, upamti da moraš svakog dana po malo da radiš na izgrađivanju svog karaktera. Kao što je Emerson rekao: 'Karakter je viši od intelekta. Velika duša će biti jaka da živi, isto kao i da misli.' Tvoj karakter se izgrađuje, kada se ponašaš na način koji odgovara principima koje sam naveo. Ako u tome ne uspeš, stvarna sreća će ti uvek izmicati."

„I konačni ritual?"

„To je u svemu važan Ritual jednostavnosti. Ovaj ritual zahteva od tebe da živiš jednostavno. Kao što je rekao Jogi Raman: 'Niko nikad ne sme da živi u najžešćoj bedi. Skoncentriši se samo na prioritete, one aktivnosti koje zaista imaju smisla. Tvoj život će postati pročišćen, pun zadovoljstva i naročito mira. To ti obećavam.'

„Bio je u pravu. Onog momenta kada sam počeo da delim žito od kukolja, harmonija mi je ispunila život. Prestao sam da živim frenetičnim tempom, na koji sam bio navikao. Prestao sam da živim u vrtlogu tornada. Umesto toga, usporio sam i bavio se samo poslovično najboljim stvarima."

„Šta si radio da bi odnegovao jednostavnost?"

„Prestao sam da nosim skupa odela, oslobodio sam se navike da čitam šest novina dnevno, prestao sam da budem na raspolaganju svakome u bilo koje doba, postao sam vegetarijanac i jeo sam manje. U osnovi, smanjio sam svoje potrebe. Vidiš Džone, sve dok ne smanjiš svoje potrebe, nećeš se osećati ispunjeno. Uvek ćeš biti kao kockar u Las Vegasu, koji stoji pored ruleta da bi igrao 'samo još jedan krug' nadajući se da će izaći njegov srećan broj. Uvek ćeš želeti više nego što imaš. Kako onda možeš ikada da budeš srećan?"

„Ali ranije si mi rekao da se do sreće stiže preko ostvarenja. Sada mi kažeš da smanjim svoje potrebe i da se zadovoljim manjim. Zar to nije paradoks?"

„Izvanredno, Džone. U stvari briljantno. To može da izgleda kontradiktorno, ali nije. Životna sreća se postiže kroz nastojanje da ostvariš svoje snove. Najbolje se osećaš kada napreduješ. Nije rešenje u tome da gradiš svoju sreću na tome da nađeš neuhvatljivi ćup zlata na kraju duge. Na primer, iako sam bio višestruki milioner, rekao sam sam sebi da za mene uspeh znači imati trista miliona dolara na bankovnom računu. To je bio recept za bolest."

„Trista miliona?", pitao sam u neverici.

„Trista miliona. Dakle, nije bilo važno koliko sam imao, ja sam bio nezadovoljan. Uvek sam bio nesrećan. To nije bilo ništa drugo nego pohlepa. Sada to mogu slobodno da priznam. Bilo je kao u priči o kralju Midi. Siguran sam da si je čuo?"

„Svakako. Čovek koji je toliko puno voleo zlato da se molio da se sve što dotakne, pretvori u zlato. Obradovao se kada mu se želja ispunila. To je trajalo sve dok nije shvatio da ne može da jede jer se i njegova hrana pretvarala u zlato, itd. itd."

„Tačno. Slično tome, ja sam toliko bio opsednut novcem da nisam mogao da uživam u onome što sam imao. Znaš li da je bilo došlo vreme kad sam mogao da jedem jedino hleb i vodu", reče Džulijan, postavši tih i zamišljen.

„Ozbiljno govoriš? Oduvek sam mislio kako jedeš u najboljim restoranima okružen tvojim slavnim prijateljima."

„To je bilo na početku. Mnogi ljudi ne znaju za to, ali moj nekontrolisani način života doneo mi je čir koji je krvario. Nisam mogao da pojedem čak ni viršlu u hlebu, a da mi ne pripadne muka. Kakav život! Sav taj novac, a mogao sam da jedem samo hleb i vodu. To je zaista bilo patetično. Ali ja ne živim u prošlosti. To je bila jedna velika životna lekcija. Kao što sam ti već rekao, bol je snažan učitelj. Da bih prevazišao bol, prvo sam morao da ga iskusim. Bez toga ja ne bih bio ovde gde sam danas", stoički je izjavio.

„Imaš li neku ideju, šta bih ja trebalo da radim da bih uveo Ritual jednostavnosti u moj život?", upitao sam.

„Ima toliko toga što možeš da uradiš. Čak i male stvari će napraviti razliku."

„Kao na primer?"

„Prestani da se javljaš na telefon svaki put kad zazvoni, prestani da gubiš vreme čitajući kompjutersku poštu koja je za đubre, prestani da jedeš van kuće tri puta nedeljno, odustani od članstva u golf klubu i provodi više vremena sa svojom decom, budi jedan dan u nedelji bez sata, svakih par dana gledaj izlazak sunca, prodaj svoj mobilni telefon i reši se pejdžera. Da li treba da nastavim?", Džulijan je retorički upitao.

„Shvatio sam poentu. Ali da prodam mobilni telefon?", upitao sam uplašeno, osećajući se kao beba kojoj je doktor predložio da joj preseče pupčanu vrpcu.

„Kao što sam rekao, moja dužnost je da podelim s tobom sve što sam naučio na mom putovanju. Ti ne treba da primenjuješ sve metode da bi uticao na svoj život. Probaj tehnike i koristi samo one koje osećaš da su dobre za tebe."

„Znam. Ništa preterano, sve umereno."

„Tačno."

„Ipak moram da priznam, svaka od tvojih metoda zvuči sjajno. Ali da li će one zaista za samo trideset dana dovesti do značajnih promena u mom životu?"

„To će trajati čak i manje od trideset dana – a čak i više", rekao je Džulijan sa licem nasmejanog đavolka koje je postalo njegov zaštitni znak.

„Evo, opet počinjemo. Objasni, o Mudri."

„'Džulijan' je dovoljno dobro, premda bi 'Mudri' delovalo impresivno na mom starom memorandumu", šalio se. „Kažem da će to trajati manje od trideset dana zato što su istinske životne promene spontane."

„Spontane?"

„Da, to se dešava u treptaju oka, u onom posebnom momentu kada u najdubljoj suštini svoga bića, odlučiš da uzdigneš svoj život na najviši nivo. U tom trenutku ti ćeš biti izmenjena osoba koja je krenula u susret svojoj sudbini."

„A zašto duže od trideset dana?"

„Obećavam ti da ćeš primenom ovih metoda i tehnika, videti značajan napredak u roku od mesec dana od danas. Imaćeš više energije, manje briga, više kreativnosti i manje stresa u svakom aspektu tvog života. Imajući ovo u vidu, metode mudraca nisu brzopotezne. One predstavljaju večnu tradiciju koja treba svakodnevno da se primenjuje do kraja tvog života. Ako prestaneš da ih primenjuješ, videćeš da ćeš postepeno da se vratiš svom starom načinu života."

Džulijan je napravio pauzu, pošto mi je objasnio Deset rituala blistavog življenja.

„Znam da želiš da nastavim, zato i hoću. Toliko čvrsto verujem u ovo što ti govorim, da ne marim što te držim budnim celu noć. Možda je ovo dobro vreme da odemo još malo dublje."

„Na šta tačno misliš? Ja mislim da je sve što sam noćas čuo prilično duboko", odgovorio sam iznenađeno.

„Tajne koje sam ti objasnio, tebi i svima sa kojima budeš u kontaktu omogućiće da stvorite život kakav želite. Ali postoji još mnogo više u filozofiji mudraca Sivane, što pogađa suštinu. Ovo čemu sam te do sada učio beskrajno je praktično. Moraš da znaš nešto i o duhovnoj osnovi ovih principa koje sam ti izložio. Ako ne razumeš o čemu pričam, neka te to ne brine. Jednostavno prihvati to, žvaći ga malo, a kasnije ćeš da svariš."

„Kada je učenik spreman, pojaviće se učitelj?"

„Tačno tako", reče Džulijan, smešeći se sada. „Ti si oduvek bio brz na učenju."

„U redu, hajde da čujem duhovnu stranu", energično sam rekao, nesvestan da je bilo skoro pola tri izjutra.

„Unutar tebe leže sunce, mesec, nebo i sva čuda ovog univerzuma. Inteligencija koja je stvorila sva ta čuda ista je ona snaga koja je stvorila i tebe. Sve stvari oko tebe dolaze iz istog izvora. Mi smo svi jedno."

„Nisam siguran da te pratim."

Robin Šarma

„Svako biće na Zemlji, svaki predmet na ovoj planeti ima dušu. Sve duše se stapaju u jednu, to je duša univerzuma. Vidiš Džone, kada ti neguješ svoj sopstveni um i svoj sopstveni duh, ti u stvari hraniš dušu univerzuma. Kada unapređuješ sebe, ti unapređuješ živote svih oko tebe. A kada imaš hrabrosti da samouvereno napreduješ u pravcu ostvarenja svojih snova, počinješ da privlačiš snagu univerzuma. Kao što sam ti već rekao, život ti daje ono što tražiš. On uvek osluškuje."

„Tako će mi ovladavanje sobom i *kaizen* pomoći da pomognem drugima time što će mi pomoći da pomognem sebi?"

„Tako nekako. Kako budeš obogaćivao svoj um, negovao svoje telo i kultivisao svoj duh, početeš da razumevaš o čemu ja pričam."

„Džulijane, ja dobro znam na šta ti misliš. Ali ovladavanje sobom je prilično visok ideal za porodičnog čoveka od stotinjak kila, koji je do danas utrošio više vremena na razvoj klijentele nego na svoj lični razvoj. Šta će biti ako ne uspem?"

„Neuspeh je nedostatak hrabrosti da se proba, ništa više i ništa manje. Jedina stvar koja deli većinu ljudi od njihovih snova jeste strah od neuspeha. Međutim u bilo kakvim nastojanjima, neuspeh je suštinski deo uspeha. Neuspeh nas testira i dozvoljava nam da se razvijamo. Nudi nam lekcije i vodi nas stazom prosvetljenja. Učitelji na istoku kažu da je svaka strela koja pogodi metu, rezultat stotine promašaja. To je osnovni prirodni zakon da se dobija kroz gubitak. Nikada se ne plaši neuspeha. Neuspeh je tvoj prijatelj."

„Da prihvatim neuspeh?", upitao sam u neverici.

„Univerzum favorizuje hrabre. Kada jednom zauvek odlučiš da podigneš svoj život na njegov najviši nivo, vodiće te snaga tvoje duše. Jogi Raman je verovao da je sudbina svakog od nas zacrtana već na rođenju. Ta staza vodi uvek do čarobnog mesta ispunjenog divnim blagom. Od svakog pojedinca zavisi da li će da smogne hrabrost da krene tim putem. Ima jedna priča koju mi je ispričao i koju bih voleo da prosledim tebi. Nekada davno u drevnoj Indiji, postojao je đavo džin koji je posedovao divan zamak s pogledom na more. Kako je džin bio odsutan mnogo godina boreći se u ratovima, deca iz obližnjeg sela imala su običaj da dođu u njegov prekrasan vrt i da se tu igraju uživajući. Jednog dana džin se vratio i isterao je svu decu iz vrta. 'Da se niste nikad vratili ovamo!', ogorčeno je vikao, dok je zatvarao ogromna hrastova vrata. Zatim je podigao ogroman mermerni zid oko vrta da bi sprečio decu da ulaze.

„Došla je ciča zima, što je normalno za severni deo indijskog potkontinenta i džin je poželeo da se uskoro vrati toplo vreme. Proleće je stiglo u selo koje je ležalo ispod zamka, ali njegova bašta je i dalje bila u ledenim kandžama zime. Zatim, jednog dana džin je konačno osetio mirise proleća, a zraci sunca su zakucali na njegove prozore. 'Proleće se konačno vratilo!', povikao je potrčavši napolje u baštu. Ali nije bio spreman za prizor koji ga je sačekao. Seoska deca su nekako uspela da preskoče zid i igrala su se u bašti. Zbog njih se bašta preobrazila od zimske pustoši u bujno mesto ispunjeno ružama, narcisima i orhidejama. Sva su se deca, smejala i radosno kikotala sem jednog deteta. Krajičkom oka džin je primetio malog dečaka, koji je bio mnogo manji od sve druge dece. Suze su klizile niz njegove obraze, jer nije imao snage da preskoči zid i uđe u baštu. Džin se rastužio zbog njega i po prvi put u životu zažalio nad svojom đavoljom prirodom. 'Pomo - ći ću ovom detetu', rekao je, potrčavši ka njemu. Kada su druga deca videla da džin dolazi, pobegla su iz bašte plašeći se za svoje živote. Ali mali, mršavi dečak je ostao da stoji na mestu. 'Ja ću ubiti džina', promucao je. 'Ja ću da branim naše igralište.'

„Kada se džin približio dečaku, raširio je ruke. 'Ja sam tvoj prijatelj', rekao je. 'Došao sam da ti pomognem da pređeš zid i uđeš u baštu. Ovo će od sada biti tvoja bašta.' Mali dečak, sada heroj među decom, uživao je u sreći i dao je džinu zlatnu ogrlicu koju je uvek nosio oko vrata. 'Ovo je moja amajlija sreće', rekao je. 'Želim da je ti nosiš.'

„Od tog dana deca su se igrala sa džinom u njegovoj divnoj bašti. Ali mali hrabri dečak, koga je džin najviše voleo nikada se nije vratio. Kako je vreme prolazilo, džin se razboleo i zanemoćao. Deca su nastavila da se igraju u bašti, ali džin više nije imao snage da im se pridruži. U tim mirnim danima džin je najviše mislio na malog dečaka.

„Jednog dana, usred naročito oštre zime, džin je pogledao kroz prozor i video zaista čudesan prizor: iako je veći deo bašte bio prekriven snegom, u sredini bašte stajao je divan grm ruža prekriven cvetovima fantastičnih boja. Pored ruža stajao je mali dečak, koga je džin voleo. Dečak se ljupko smešio. Džin je oduševljeno poskočio i pojurio napolje da zagrli dečaka. 'Gde si bio svih ovih godina, moj mali prijatelju? Čeznuo sam za tobom svim srcem.'

„Dečak je zamišljeno odgovorio: 'Pre mnogo godina ti si me preneo preko zida u tvoju čarobnu baštu. Sada sam ja došao da tebe vodim u moju.' Kasnije tog dana, kada su deca došla da posete džina, našli su ga kako beživotno leži na zemlji. Od glave pa do nožnih prstiju, bio je prekriven hiljadama prekrasnih ruža.

„Džone, uvek budi hrabar, kao ovaj mali dečak. Budi na svom tlu i sledi svoje snove. Oni će da te odvedu tvojoj sudbini. Sledi svoju sudbinu, ona će te odvesti do čuda univerzuma. I uvek sledi čuda univerzuma, jer će te ona odvesti do specijalne bašte ispunjene ružama."

Kada sam pogledao Džulijana da mu kažem da me je ova priča duboko dotakla, video sam nešto što me je zapanjilo: ovaj pravni gladijator, tvrd kao stena, koji je najveći deo života proveo braneći bogate i slavne, počeo je da plače.

Poglavlje 9 – Rezime
• Džulijanova mudrost u najkraćim crtama

Simbol	

| Svojstvo | Primenjuj kaizen |

Mudrost
- Vladanje samim sobom je DNK vladanja životom
- Spoljašnji uspeh počinje iznutra
- Prosvetljenje dolazi kroz neprestano kultivisanje uma, tela i duše

Tehnike
- Radi stvari kojih se plašiš
- 10 drevnih rituala blistavog življenja

Citat

Univerzum favorizuje hrabre. Kada odlučiš da uzdigneš svoj život na njegov najviši nivo, snaga tvoje duše će te voditi do čarobnog mesta sa divnim blagom.

Kaluđer koji je prodao svoj ferari

Moć discipline

Siguran sam, da smo mi danas gospodari naše sudbine, da zadatak koji je stavljen pred nas nije izvan naših moći; da muke i bol nisu van granica moje izdržljivosti. Dokle god verujemo u svoje sopstvene ideale i nesavladivu volju za pobedom, pobeda nam neće biti uskraćena.

Vinston Čerčil

Džulijan je nastavio da koristi mističnu priču Jogi Ramana kao kamen temeljac mudrosti koju je delio sa mnom. Naučio sam o bašti unutar mog uma, o riznici moći i potencijala. Preko svetionika kao simbola, shvatio sam primarnu važnost krajnjeg smisla života i koliko je efikasno kada se postave ciljevi. Na primeru japanskog sumo rvača visokog blizu tri metra i teškog oko četiri stotine kilograma, upoznao sam se sa večnim konceptom *kaizena* i obiljem blagodeti koje gospodarenje samim sobom donosi. Nisam znao da najbolje tek dolazi.

„Sećaš se da je naš prijatelj sumo rvač bio potpuno go."

„Osim ružičaste žice koja je pokrivala njegove genitalije", oštro sam ga prekinuo.

„Tačno", složio se Džulijan. „Ružičasta žica će te podsećati na moć samokontrole i discipline u građenju bogatijeg, srećnijeg i prosvećenijeg života. Moji učitelji u Sivani su bez ikakve sumnje bili najzdraviji, najzadovoljniji i najvedriji ljudi koje sam ikada sreo. Ali isto tako, bili su i najdisciplinovaniji. Ti mudraci su me naučili da je princip samodiscipline poput žice. Džone, da li si ikada odvojio vreme da razmisliš o žici?"

„Ona nije bilo visoko na mojoj listi prioriteta", priznao sam uz osmeh.

„Dobro, pogledaj neku ponekad. Videćeš da se sastoji od mnogo tankih, žičica stavljenih jedna preko druge. Sama, svaka za sebe je krhka i slaba. Ali upletene zajedno, one su spoj mnogo jači nego pojedinačni delovi i žica postaje čvršća od čelika. Samokontrola i snaga volje su slični tome. Da bi izgradio čeličnu volju, osnovno je da male, sitne stvari uradiš tako da odaš priznanje ličnoj disciplini. Kada to postane rutina, male stvari se gomilaju jedna iznad druge i to na kraju dovodi do mnoštva unutrašnje snage. Možda to stara afrička poslovica najbolje objašnjava: 'Kada se ujedine paukove mreže, one i lava mogu da sapletu.' Kada oslobodiš snagu svoje volje, postaješ gospodar svog ličnog sveta. Kada stalno praktikuješ drevnu umetnost vladanja samim sobom, za tebe više nema prepone koju ne možeš da preskočiš, izazova koji ne možeš da savladaš i krize koju ne možeš da smiriš. Samodisciplina će ti dati potrebnu mentalnu snagu da istraješ u teškim trenucima.

„Takođe moram da te upozorim na činjenicu da nedostatak snage volje predstavlja mentalno obolenje", dodao je Džulijan iznenada. „Ako patiš od te slabosti, neka ti bude prioritet da je brzo iskoreniš. Jaka snaga volje i čvrsta disciplina, neki su od glavnih aduta svih onih koji imaju jak karakter i divan život. Snaga volje ti dozvoljava da uradiš ono što si rekao da ćeš uraditi i u vreme koje si rekao. Snaga volje je ta koja te podiže u pet sati ujutro da bi negovao svoj um meditacijom ili hranio svoj duh šetnjom kroz šumu po hladnom zimskom danu, dok te topao krevet mami. Snaga volje je ta koja ti drži jezik za zubima kada te osoba koja ti nije ravna vređa ili čini nešto sa čim se ne slažeš. Snaga volje je ta koja gura napred tvoje snove i kada se čini da su prepreke nesavladive. Snaga volje je ta koja ti pruža unutarnju snagu da bi ispunio svoje obaveze prema drugima, i, možda što je još važnije, prema samom sebi."

„Da li je to zaista tako važno?"

„I te kako, prijatelju. To je osnovna karakteristika svake osobe koja je stvorila život bogat strašću, mogućnostima i mirom."

Džulijan je zatim zavukao ruku u svoju tuniku i izvukao sjajan srebrni medaljon, od one vrste kakvu možete da vidite na muzejskim izložbama o starom Egiptu.

„Ne treba", našalio sam se.

„Mudraci Sivane su mi ovo poklonili poslednje veče koje sam proveo s njima. To je bila vesela, draga ceremonija među članovima porodice, koja je živela život ispunjen do maksimuma. To je bila jedna od najlepših i najtužnijih noći u mom životu. Nisam želeo da napustim Nirvanu Sivane. To je bilo moje utočište, jedna oaza svega dobrog na ovom svetu. Mudraci su postali moja duhovna braća i sestre. To veče, ostavio sam deo sebe tamo visoko u Himalajima", reče Džulijan nežnim glasom.

„Šta je ugravirano na medaljonu?"

„Evo, pročitaću ti. Džone, nemoj te reči nikada da zaboraviš. Meni su stvarno pomogle kada je bilo teško. Ja se molim da i tebi pruže utehu u crnim vremenima. Citiram:

Čeličnom disciplinom gradićeš karakter bogat hrabrošću i mirom. Sposobnošću volje si predodređen da dostigneš najviše životne ideale i živiš u rajskom prebivalištu ispunjen svime što je dobro, veselo i životno važno. Bez toga si izgubljen kao mornar bez kompasa, koji na kraju tone zajedno sa svojim brodom.

„Zaista nikad nisam razmišljao o važnosti samo - kontrole, iako sam mnogo puta poželeo da sam disciplinovaniji", priznao sam. „Hoćeš da kažeš da ja mogu da izgradim disciplinu, na isti način na koji moj sin gradi svoje bicepse u lokalnoj teretani?"

„To je izvanredno poređenje. Vežbaš svoju snagu volje baš kao i tvoj sin svoje telo u teretani. Bilo ko, bez obzira koliko je trenutno slab ili letargičan, može u relativno kratkom roku da izgradi disciplinu. Mahatma Gandi je dobar primer. Mnogi se ljudi kada danas razmišljaju o tom svecu modernog doba, sećaju čoveka koji je nedeljama mogao da bude bez hrane boreći se za svoje ideale i da izdrži ogroman bol zbog svojih ubeđenja. Ali ako proučiš njegov život videćeš da nije oduvek bio gospodar samokontrole.“

„Nećeš valjda da mi kažeš da je Gandi bio ljubitelj čokolade?“

„Ne baš, Džone. Kao mlad advokat u Južnoj Africi, bio je poznat po strastvenim izlivima besa, a disciplina posta i meditacije su mu bili jednako strani kao i jednostavna bela tkanina oko bokova, koja je u kasnim godinama njegovog života postala njegov zaštitni znak.“

„Hoćeš da kažeš da bih ja mogao pravom mešavinom vežbi i priprema da dostignem isti nivo snage volje kao i Mahatma Gandi?“

„Svako je drugačiji. Jedan od osnovnih principa ko - jima me je učio Jogi Raman jeste da istinski prosvetljeni ljudi nikad ne idu za tim da budu kao drugi. Oni radije teže da budu superiorniji nad samim sobom od ranije. Ne takmiči se sa drugima. Takmiči se sa samim sobom“, odgovorio je Džulijan.

„Kada imaš samokontrolu, ti ćeš odlučiti da se baviš stvarima kojima si oduvek želeo da se baviš. To za tebe može da bude priprema za maraton ili ovladavanje veštinom splavarenja ili čak odustajanje od prava da bi postao umetnik. Što god da je to o čemu sanjaš, bilo da je materijalno ili duhovno bogatstvo, ja te neću osuđivati. Jednostavno ću ti reći da će ti sve to biti na dohvatu kada razviješ svoju uspavanu snagu volje."

Džulijan je još dodao: „Ugrađivanje samokontrole i discipline u tvoj život, doneće ti takođe neizmeran osećaj slobode. To će samo po sebi da promeni stvari."

„Kako to misliš?

„Većina ljudi ima slobodu. Mogu da idu gde god žele i da rade stvari koje vole da rade. Ali previše ljudi su robovi svojih impulsa. Odrasli su radije se opirući, nego da budu kooperativni, što znači da su poput morske pene, koja žestoko udara o stenovitu obalu u bilo kom pravcu u kojem je plima ponese. Ako provode vreme sa svojim porodicama i neko sa posla ih pozove, oni pojure ne razmišljajući šta je najvažnije za njihovo dobro i njihov smisao života. Nakon svega što sam u životu video i ovde na zapadu i tamo na istoku, mogu da kažem da takvi ljudi objektivno imaju slobodu, ali nemaju nezavisnost. Taj nedostatak je ključna supstanca smislenog, prosvetljenog života: nezavisnost da mogu da vide šumu iza stabala ili da razdvoje bitno od nebitnog."

Nisam mogao da pomognem ali sam se složio sa Džulijanom. Ja sam na malo šta mogao da se požalim. Imao sam veliku porodicu, udobnu kuću, razrađenu advokatsku praksu. Ali zaista ne bih mogao da kažem da sam postigao nezavisnost.

Pejdžer mi je gotovo kao desna ruka. Uvek sam u žurbi. Čini se da nikada nemam vremena da dublje komuniciram sa Dženi, a da u dogledno vreme imam slobodno vreme za samog sebe izgleda mi neverovatno kao i da pobedim na Bostonskom maratonu. Što sam više o tome razmišljao, shvatao sam da ja verovatno i nisam nikada okusio istinsku, bezgraničnu slobodu kad sam bio mlađi. Pretpostavljam da sam zaista bio rob svojih slabosti. Uvek sam radio sve što su mi drugi govorili da treba da radim.

„A izgrađivanje snage volje će mi pružiti više nezavisnosti?"

„Nezavisnost je kao kuća: gradiš je ciglu po ciglu. Prva cigla koju treba da postaviš jeste moć volje. Taj kvalitet te nadahnjuje da radiš pravu stvar u datom trenutku. Daje ti snagu da hrabro radiš, kao i kontrolu da živiš životom kakav si zamišljao, radije nego da prihvatiš život kakav imaš."

Džulijan je takođe naveo mnoge praktične beneficije koje disciplina pruža.

„Verovao ili ne, razvijanjem snage volje možeš da izbrišeš naviku da brineš, možeš da održavaš svoje zdravlje, a tako ćeš dobiti daleko više energije nego što si ikada imao. Vidiš, Džone, samokontrola zaista nije ništa drugo do kontrola uma. Volja je kraljica mentalnih moći. Kada ovladaš svojim umom, ti si ovladao svojim životom. Mentalno gospodarenje sobom počinje kada budeš u stanju da kontrolišeš svaku misao koja ti prođe kroz glavu. Kada budeš razvio sposobnost da odstraniš sve slabe misli i usredsrediš se na one pozitivne i dobre, uslediće pozitivna i dobra dešavanja. Uskoro ćeš početi da privlačiš sve pozitivno i dobro u svoj život.

„Evo ti jedan primer. Recimo da je jedan od tvojih ličnih ciljeva razvoja da ustaješ svako jutro u šest sati i da trčiš po parku iza tvoje kuće. Zamislimo da je sada sredina zime i alarm te budi iz dubokog okrepljujućeg sna. Tvoj prvi impuls je da pritisneš dugme na budilniku i nastaviš da spavaš. Verovatno ćeš sutra da ostvariš svoju zamisao o trčanju. To se nastavlja i sledećih nekoliko dana dok ti ne zaključiš da si prestar da menjaš svoje navike i da je fizičko vežbanje kao cilj bilo isuviše nerealno."

„Odlično me poznaješ", iskreno sam priznao.

„Hajde da sada zamislimo jedan drugi scenario. I dalje je oštra zima. Alarm se isključuje i počinješ da razmišljaš o ostanku u krevetu. Ali umesto da budeš rob svojih navika, izazivaš ih sa mnogo jačim mislima. Počinješ da zamišljaš na svom mentalnom ekranu kako bi izgledao, kako bi se osećao i kako bi radio da si na vrhuncu fizičke forme. Čuješ mnoštvo komplimenata od kolega u kancelariji kada vitak i doteran prođeš pored njih. Usredsređuješ se na sve što možeš da uradiš kad imaš više energije koju ćeš dobiti redovnim vežbanjem. Nema više večeri provedenih ispred televizora jer si posle dugačkog dana u sudnici, previše umoran da radiš bilo šta drugo. Tvoji dani su ispunjeni vitalnošću, entuzijazmom i smislom."

„Ali recimo da uradim tako, a još uvek osećam kako bih se radije vratio da spavam nego da trčim?"

„U početku, prvih nekoliko dana to će biti pomalo teško i ti ćeš želeti da se vratiš starim navikama. Ali Jogi Raman je veoma jako verovao naročito u jedan od večnih principa: *Dobro uvek pobeđuje.* Tako će ako nastaviš da vodiš rat protiv slabih misli koje su se mo - žda godinama taložile u tvom umu, one konačno da shvate da su nepoželjne i otići će poput posetilaca koji znaju da nisu dobro došli."

„Hoćeš da kažeš da su misli fizička stvar?"

„Da i one su potpuno pod tvojom kontrolom. Jednako lako je misliti pozitivno kao i misliti negativno."

„Pa zašto onda toliko puno ljudi brine i koncentriše se na sve negativne informacije na svetu?"

„Zato što nisu ovladali veštinom samokontrole i disciplinovanog mišljenja. Mnogi ljudi sa kojima sam razgovarao nisu svesni da imaju moć da kontrolišu svaku pojedinu misao koju misle svakog sekunda svake minute svakog dana. Veruju da im se misli samo dešavaju i nisu nikada shvatili da će ako ne počnu da kontrolišu svoje misli, one početi da kontrolišu njih. Kada se koncentrišeš samo na dobre misli i odbiješ da misliš crno samo snagom volje, obećavam ti da će one vrlo brzo iščeznuti."

„Znači, ako želim da imam unutrašnju snagu da bih ranije ustajao, manje jeo, više čitao, manje brinuo, bio strpljiviji ili bio više voljen, sve što treba da uradim jeste da upotrebim svoju volju da očistim misli?"

„Kada kontrolišeš svoje misli ti kontrolišeš svoj um. Kada kontrolišeš svoj um, kontrolišeš svoj život. A jednom kada dostigneš nivo potpune kontrole svog života, postaješ gospodar svoje sudbine."

Bilo mi je potrebno da to čujem. Tokom ove čudne ali, ipak, inspirativne večeri, ja sam prešao put od skeptičnog advokata koji je pažljivo proučavao maestralnog kolegu preobraćenog u jogija, do vernika čije su se oči otvorile po prvi put u mnogo godina. Želeo sam da je Dženi mogla sve to da čuje. U suštini, želeo sam da i moja deca takođe mogu da čuju ovu mudrost. Znao sam da bi to na njih imalo isti uticaj kao i na mene. Oduvek sam planirao da budem bolji porodični čovek i da živim ispunjenije, ali sam uvek bio previše zaposlen rešavajući sve te male životne sukobe koji su izgledali tako hitni. Možda je to bila slabost, nedostatak samokontrole. Možda nesposobnost da se zbog drveća vidi šuma. Život je tako brzo prolazio pored. Čini mi se kao da sam juče bio mlad student prava, pun energije i entuzijazma. Sanjao sam tada da postanem politički vođa ili čak sudija vrhovnog suda. Ali kako je vreme prolazilo, upao sam u kolotečinu. Čak i kao bezobrazno samouveren advokat, Džulijan je znao da mi kaže da 'samozadovoljstvo ubija'. Što sam više razmišljao o tome, više sam uočavao da sam izgubio svoju glad. To nije bila glad za većom kućom ili bržim kolima. To je bila daleko dublja glad: glad za životom sa više smisla, više veselja, više zadovoljstva.

Počeo sam budan da sanjam, kada je Džulijan nastavio. Nesvestan onoga o čemu je on sada govorio, video sam sebe prvo kao pedesetpetogodišnjaka, a zatim kao šezdesetogodišnjaka. Da li ću da budem zaglavljen na istom poslu, sa istim ljudima, vodeći iste bitke i u toj fazi svog života? Strepeo sam od toga. Oduvek sam želeo da doprinesem svetu na neki način, a bio sam siguran da to sada ne radim. Mislim da sam se promenio u tom momentu, te sparne julske večeri, kada je Džulijan sedeo pored mene na podu moje dnevne sobe. Japanci to nazivaju *satori,* što znači *mentalno buđenje* i to je bilo tačno to. Odlučio sam da ostvarim svoje snove i učinim od svog života daleko više nego ikad pre. Tada sam prvi put okusio stvarnu nezavisnost, nezavisnost koja nastaje kada jednom zauvek odlučite da u potpunosti uzmete život u svoje ruke.

„Daću ti formulu za razvoj snage volje“, reče Džulijan, koji nije imao pojma o unutarnjoj promeni koju sam ja upravo osetio. „Mudrost bez odgovarajućeg načina primene, nije mudrost uopšte.“

Nastavio je. „Voleo bih da svakog dana dok ideš na posao, ponavljaš nekoliko jednostavnih reči.“

„Da li je to jedna od onih mantri, koje si mi ranije pominjao?“, upitao sam.

„Da, jeste. Jedna koja postoji već više od pet hiljada godina, iako samo mala grupa kaluđera Sivane zna za nju. Jogi Raman mi je rekao da ću njenim ponavljanjem za kratko vreme razviti samokontrolu i nesalomivu snagu volje. Zapamti, reči imaju veliki uticaj. Reči su verbalno otelotvorenje moći. Kada ispuniš svoj um rečima nade, ti postaješ pun nade. Kada ispuniš svoj um rečima ljubaznosti, ti postaješ ljubazan. Kada ispuniš svoj um mislima o hrabrosti, ti postaješ hrabar. Reči imaju moć“, primetio je Džulijan.

„U redu. Sav sam se pretvorio u uvo.“

„Ovo je mantra koju ti predlažem da ponavljaš bar trideset puta dnevno: ’Ja sam više od onoga što se čini da jesam, sva snaga i moć sveta su unutar mene.’ To će dovesti do dubokih promena u tvom životu. Za brže rezultate, pomešaj ovu mantru sa praksom kreativne vizuelizacije, o kojoj sam ranije govorio. Na primer, idi na neko mirno mesto. Sedi zatvorenih očiju. Ne dopusti da tvoj um luta. Neka ti telo bude nepomično, jer je najsigurniji znak slabog uma, telo koje nema mira. Sada glasno ponovi mantru više puta. Dok to radiš, videćeš sebe kao disciplinovanu, čvrstu osobu, koja potpuno kontroliše svoj um, telo i duh. Zamisli da se ponašaš kao što bi se ponašali Gandi ili Majka Tereza u situaciji koja im predstavlja izazov. Sigurno ćeš imati zapanjujuće rezultate", obećao je.

„To je to?", upitao sam, iznenađen jednostavnošću ove formule. „Ovom jednostavnom vežbom, ja mogu u celosti da aktiviram snagu volje?"

„Vekovima su duhovni učitelji istoka prenosili učenicima ovu tehniku. I ona je i danas tu samo iz jednog razloga: jer deluje. Kao i uvek sudi po rezultatima. Ako si zainteresovan, postoji nekoliko drugih vežbi koje mogu da ti ponudim da bi oslobodio snagu svoje volje i razvio unutarnju disciplinu. Ali dozvoli mi da te upozorim da na prvi pogled to može da ti izgleda čudno."

„Ej, Džulijane, ja sam potpuno fasciniran onim što sam čuo. Baš ti ide, nemoj sada da staneš."

„U redu. Prva stvar je da počneš da radiš stvari koje ne voliš da radiš. To može da bude nameštanje kreveta ujutru ili šetnja do posla umesto vožnja. Stvaranjem navike da maksimalno naprežeš svoju volju, prestaćeš da budeš rob svojih slabih poriva."

„Ili koristiš nešto, ili ga gubiš?"

„Tačno. Da bi izgradio moć volje i unutarnju snagu, prvo moraš da je koristiš. Što više koristiš i gajiš embrion samodiscipline, on će brže sazreti i dati rezultate koje želiš. Druga vežba je omiljena vežba Jogi Ramana. Znao je da provede ceo dan a da ne progovori sem ako odgovara na direktno pitanje."

„Nešto kao zakletva na ćutanje?"

„U stvari, Džone, to je bilo tačno to. Tibetanski kaluđeri koji zagovaraju ovu praksu, veruju da ćutanje na duži period ima efekat povećanja discipline."

„Ali kako?"

„U osnovi, ako ćutiš ceo dan, ti uslovljavaš svoju volju da radi ono što joj narediš. Svaki put kada se pojavi poriv da progovoriš, ti suzbiješ taj impuls i ostaneš tih. Vidiš, tvoja volja nema svoj sopstveni um. Ona čeka da joj daš uputstva koja će je podstaći na akciju. Što imaš više kontrole nad njom, ona će postati jača. Problem je što većina ljudi ne koristi svoju snagu volje."

„Zašto?", upitao sam.

„Verovatno zato što većina ljudi ne veruje da je uopšte ima. Oni optužuju sve i svakog osim sebe samih, za tu očiglednu slabost. Oni koji imaju lošu narav reći će ti: 'Ja tu ništa ne mogu, moj otac je bio isti takav.' Oni koji previše brinu kazaće: 'To nije moja greška, moj posao je isuviše stresan.' Oni koji previše spavaju će reći: 'Šta ja tu mogu? Moje telo traži deset sati sna svake noći.' Takvim ljudima nedostaje odgovornost prema samom sebi, koja dolazi sa saznanjem da se duboko u svakom od nas kriju izvanredni potencijali i samo čekaju da budu aktivirani. Kada budeš upoznao večne zakone prirode, one koji upravljaju ovim univerzu-mom i svime što živi u njemu, saznaćeš takođe, da je tvoje pravo po rođenju da budeš sve što možeš. Imaš moć da budeš nešto više od svoje okoline. Slično tome, imaš kapacitet da ne budeš zarobljenik svoje prošlosti. Da bi to uradio, moraš da posta-neš gospodar svoje volje."

„Zvuči teško."

„U stvari je to veoma praktičan koncept. Zamisli šta bi sve mogao, ako bi udvostručio ili utrostručio koli-činu snage volje koju trenutno imaš. Mogao bi da poč-neš sa vežbama o kojims sanjaš, mogao bi da organi-zuješ daleko efikasnije svoje vreme, mogao bi jednom zauvek da izbrišeš naviku da brineš ili bi mogao da budeš idealan muž. Korišćenje volje će ti omogućiti da ponovo pronađeš žar i energiju življenja, za koje si čini mi se rekao, da si ih izgubio. To je veoma važna oblast na koju treba da se usredsrediš."

„Znači, bitno je da počnem da pravilno koristim svoju snagu volje?"

„Da. Odluči da radiš ono što treba da radiš, i nemoj da ideš linijom manjeg otpora. Počni da se boriš sa silom teže svojih loših navika i slabih impulsa, upravo kao što se raketa izdiže iznad gravitacione sile da bi se vinula u nebo. Guraj sebe. I samo posmatraj šta će se desiti za par nedelja."

„A mantra će da pomogne?"

„Da. Ponavljanje mantre koju sam ti dao, kao i sva-kodnevna praksa da vidiš sebe onakvog kakav se nadaš da ćeš biti, daće ti enormnu količinu snage da stvoriš disciplinovan, principijelan život, koji će te povezati sa tvojim snovima. Ne možeš da promeniš svoj svet za jedan dan. Počni od malih stvari. Put od hiljadu kilometara počinje prvim korakom. Mi postepeno odrastamo. Čak i to da istreniraš sebe da ustaješ sat vremena ranije i da ostaneš pri toj divnoj navici, podstaćiće tvoje samopouzdanje i inspirisati te da postigneš još više."

„Ne vidim vezu", priznao sam.

„Male pobede vode ka velikim pobedama. Moraš da gradiš male da bi postigao velike. Ako budeš dosledan svojoj odluci da ustaješ ranije svakog dana, osetićeš zadovoljstvo i užitak koje donosi ostvarenje. Postavio si cilj i ostvario si ga. To je dobro osećanje. Trik je u tome da stalno podižeš svoje standarde i postavljaš sebi sve teže zadatke. To će da oslobodi magiju inercije koja će te motivisati da nastaviš da istražuješ svoje beskrajne potencijale. Da li voliš skijanje?", upitao je Džulijan naglo.

„Obožavam skijanje", odgovorio sam. Dženi i ja vodimo decu u planine kad god možemo, što nije baš često na njenu žalost."

„U redu. Samo se seti kako izgleda kada kreneš sa vrha da se spuštaš. U početku ideš sporo. A zatim u roku od minute letiš niz stazu kao da sutra ne postoji. Je l' tako?"

„Zovi me Nindža skijaš. Obožavam brzinu!"

„Šta te tera da ideš tako brzo?"

„Moje aerodinamički građeno telo?", podrugljivo sam dodao.

„Lep pokušaj", Džulijan se smejao. „Inercija je od-
govor koji tražim. Inercija je takođe tajni sastojak u iz-
građivanju samodiscipline. Kao što sam rekao, poči-
nješ od malog, bez obzira da li to znači ustajati malo
ranije, šetati svako veče oko bloka ili samo istrenirati
sebe da ugasiš TV kada znaš da je dosta. Ove male po-
bede stvaraju inerciju, koja te navodi da preduzmeš ve-
će korake na putu ka svom maksimumu. Uskoro radiš
stvari za koje nikad nisi mislio da ćeš biti u stanju da ih
uradiš, sa takvom energičnošću i snagom, za koje
nikad nisi mislio da ih imaš. Džone, to je zaista jedan
zabavan proces. A ružičasta žica iz čarobne priče Jogi
Ramana uvek će da te podseća na snagu tvoje volje."

Upravo kada je Džulijan završio svoju priču na te -
mu discipline, primetio sam prve zrake sunca kako se
probijaju u dnevnu sobu, uklanjajući tamu poput
deteta koje odbacuje neželjeno ćebe. „Ovo će biti veliki
dan", pomislio sam. „Prvi dan novog poglavlja u mom
životu."

Deseto poglavlje – Rezime
- Džulijanova mudrost u najkraćim crtama

Simbol	

Svojstvo	Živi disciplinovano

Mudrost
- Disciplina se gradi kada stalno činiš male stvari za koje je potrebna hrabrost
- Što više neguješ embrion samodiscipline, on će pre da sazri
- Snaga volje je osnovni princip potpuno ostvarenog života

Tehnike
- Mantra / Kreativna vizuelizacija
- Zakletva na ćutanje

Citat

Vodi rat protiv slabih misli, koje se talože u tvom umu. Videće da su neželjene i otići će poput nezvanih gostiju.

Kaluđer koji je prodao svoj ferari

Jedanaesto poglavlje

Vaše
najdragocenije dobro

*Dobro organizovano vreme je najsigurniji
znak dobro organizovanog uma.*

Sir Ajzak Pitman

„Znaš li šta je interesantno u životu?“, upitao me je Džulijan

„Reci mi..“

„U vreme kad većina ljudi shvati šta zapravo želi i kako da to ostvari, obično je suviše kasno. Ona poslovica 'Kada bi mladost samo znala, a starost mogla', potpuno je tačna.“

„Da li se na to odnosi štoperica u priči Jogi Ramana?“

„Da. Goli sumo rvač, visok blizu tri metra i težak oko četiri stotine kilograma, sa ružičastom žicom koja mu pokriva genitalije, nailazi na sjajnu zlatnu štopericu koju je neko ostavio u divnom vrtu“, podsetio me je Džulijan.

„Kako sam mogao da zaboravim“, odgovorio sam, prsnuvši u smeh.

Do sada sam shvatio da mistična priča Jogi Ramana nije bila ništa drugo do niz memorijskih kuka, formiranih tako da bi Džulijan naučio elemente antičke filozofije prosvetljenog života, a u isto vreme da mu pomognu da ih zapamti. Podelio sam sa njim moje otkriće.

„Ah, šesto čulo advokata. Ti si potpuno u pravu. Metoda mog mudrog učitelja mi se u prvi mah činila čudnom i borio sam se da razumem značenje priče, upravo kao što si se i ti pitao o čemu ja to pričam, kada sam prvi put to podelio s tobom. Ali moram ti reći Džone, da svih sedam elemenata priče, od bašte i nagog sumo rvača, pa do žutih ruža i staze dijamanata, koja će uskoro doći na red, služe kao moćni podsetnici mudrosti koju sam naučio u Sivani. Bašta me usmerava na inspirativne misli, svetionik me podseća da smisao života jeste život sa svrhom, sumo rvač me drži usmerenog na samootkrivanje, dok me ružičasta žica vodi do čuda koja čini moć volje. Ne prođe nijedan dan, a da ne razmišljam o priči i ne razmatram principe kojima me je naučio Jogi Raman.“

„A šta tačno predstavlja sjajna zlatna štoperica?“

„To je simbol našeg najdragocenijeg dobra – vremena.“

„A šta ćemo sa pozitivnim mišljenjem, određivanjem ciljeva i ovladavanjem samim sobom?“

„To sve ništa ne znači bez vremena. Otprilike šest meseci nakon što je divno šumsko utočište u Sivani postalo moj privremeni dom, jedna od mudraca je došla u moju kolibicu od ruža, upravo dok sam učio.

Robin Šarma

Njeno ime je bilo Dajvia. Bila je zapanjujuće lepa žena sa zift crnom kosom koja joj je padala do ispod struka. Veoma nežnim, slatkim glasom obavestila me je da je ona najmlađa od svih mudraca koji žive u tom skrovitom planinskom boravištu. Rekla je, takođe, da je došla do mene po uputstvima Jogi Ramana, koji joj je rekao da sam ja najbolji student koga je ikada imao.

„'Možda je sav bol koji si iskusio u tvom prošlom životu ono što ti dozvoljava da prigrliš našu mudrost tako otvorenog srca', izjavila je. 'Zamolili su me kao najmlađu u našoj zajednici, da ti donesem poklon. To je od svih nas i mi ti ga nudimo u znak poštovanja prema tebi, koji si putovao tako daleko da bi učio od nas. Ti nikada nisi osuđivao ili ismejavao našu tradiciju, tako da te mi, iako si odlučio da nas napustiš za par nedelja, smatramo jednim od nas. Nijedan došljak nije nikada primio ono što ću ja da ti dam.'"

„Kakav je bio poklon?", pitao sam nestrpljivo.

„Dajvia je izvukla jedan predmet iz njene rukom tkane platnene torbe i pružila mi ga. Zamotano u neku vrstu mirišljavog papira, bilo je nešto što nisam mislio da ću da vidim ni za milion godina. Minijaturni peščani sat, napravljen od duvanog stakla i malog komada sandalovine. Videvši moj izraz, Dajvia mi je brzo rekla da je svako od mudraca još kao dete, dobio po jedan ovakav instrument. 'Iako mi ništa ne posedujemo i živimo čistim, jednostavnim životom, poštujemo vreme i opažamo kako prolazi. Ovaj mali peščani časovnik služi da nas svakodnevno podseti na našu smrtnost i na to koliko je važno da se živi punim produktivnim životom dok napredujemo ka ostvarenju naših ciljeva.'"

„Ti monasi gore u najvišim predelima Himalaja vo - de računa o vremenu?"

„Svako od njih razume važnost vremena. Svako od njih je razvio ono što ja nazivam 'svest o vremenu'. Vidiš, naučio sam da vreme klizi kroz naše prste poput zrna peska i nikada se ne vraća. Oni koji mudro koriste vreme od najranijeg doba, nagrađeni su bogatim, produktivnim i zadovoljavajućim životom. Oni koji nikada nisu otkrili princip da 'vladanje vremenom jeste vladanje životom', nikada neće shvatiti ogroman ljudski potencijal. Vreme sve izjednačuje. Bilo da smo privilegovani ili ne, bilo da živimo u Teksasu ili Tokiju, svima su nam dati dani sa samo dvadeset i četiri časa. Ono što razlikuje ljude koji vode izuzetan život od ostalih 'trkača' jeste način na koji koriste vreme."

„Čuo sam jednom kako moj otac kaže da su najzaposleniji ljudi oni koji moraju da štede vreme. Šta ti misliš o tome?"

„Slažem se. Zaposleni, produktivni ljudi veoma spretno koriste vreme – moraju, da bi preživeli. Biti iz - vanredan organizator vremena ne znači da moraš da postaneš radoholičar. Naprotiv, vladanje vremenom ostavlja ti više vremena da se baviš stvarima koje voliš, stvarima koje ti zaista znače. Gospodarenje vremenom vodi ka gospodarenju životom. Dobro vodi računa o vremenu. Zapamti, to je bogatstvo koje se ne obnavlja.

„Dozvoli da ti navedem jedan primer", ponudio je Džulijan. „Recimo da je ponedeljak ujutro i tvoj raspored je pretrpan sastancima, klijentima i obavezama u sudu. Pretpostavimo da si prethodno veče odvojio petnaest minuta da bi isplanirao svoj dan, umesto da ustaješ uobičajeno u pola sedam, na brzinu ispijaš šolju kafe, juriš na posao i zatim imaš dan pun stresa i jurenja. Ili da bi bio još efikasniji, recimo da u mirno subotnje jutro provedeš sat vremena organizujući celu svoju nedelju. Napišeš u svom dnevnom planeru, kada ćeš se sresti sa klijentima, kada ćeš se baviti pravničkim istraživanjima, a kada ćeš odgovarati na telefonske pozive. Što je najvažnije i ciljevi tvog ličnog, društvenog i duhovnog razvoja u toku te nedelje ulaze u plan. Ovaj jednostavan čin je tajna uravnoteženog života. Time što u svom svakodnevnom rasporedu imaš zastupljene sve najvitalnije aspekte svog života, omogućavaš da tvoja nedelja i tvoj život ne gube na smislu i miru."

„Sigurno mi ne predlažeš da napravim pauzu usred napornog radnog dana da bi šetao po parku i meditirao?"

„Sigurno da ti predlažem. Zašto se tako kruto držiš običaja? Zašto misliš da moraš da radiš na isti način kao svi ostali? Trči svoju sopstvenu trku. Zašto ne bi počeo da radiš sat vremena ranije tako da možeš sebi da priuštiš luksuz da se usred prepodneva prošetaš po predivnom parku preko puta tvoje kancelarije? Ili zašto ne bi odradio par sati više početkom nedelje, da bi petkom mogao ranije da završiš i odvedeš decu u zoološki vrt? Ili zašto ne bi dva dana nedeljno radio kod kuće i tako više viđao svoju porodicu? Kažem ti, planiraj svoju nedelju i kreativno organizuj svoje vreme.

Budi disciplinovan i usredsredi vreme na prioritete. Ne smeš nikada da žrtvuješ najznačajnije stvari u životu zbog najmanje važnih. I zapamti, neuspeh u planiranju je plan za neuspeh uopšte. Time što ćeš zapisati u svoj rokovnik ne samo sastanke sa drugima već i sve važne sastanke sa samim sobom da bi čitao, opuštao se ili pisao ljubavna pisma svojoj ženi, mnogo efikasnije ćeš koristiti svoje vreme. Nemoj nikada da zaboraviš da vreme koje provodiš obogaćujući svoje slobodne časove, nikad nije bačeno vreme. To te čini visoko produktivnim u radno vreme. Prestani da živiš deo po deo života, shvati jednom zauvek da sve što radiš čini jednu jedinstvenu celinu. Način na koji se ponašaš kod kuće utiče na tvoje ponašanje na poslu. Način na koji se ophodiš sa ljudima u kancelariji utiče na način na koji se odnosiš prema porodici i prijateljima."

„Slažem se Džulijane, ali ja zaista nemam vremena da pravim pauzu usred mog radnog dana. A ja radim i većinu večeri. Moj raspored ovih dana je stvarno pretrpan." Čim sam to rekao, osetio sam žmarce u stomaku i na samu pomisao na brdo posla koje me čeka.

„Biti zauzet, nije opravdanje. Pravo pitanje je, čime si toliko zauzet? Jedno od velikih pravila koje sam naučio od starog mudraca jeste da 80 % rezultata koje postižeš u životu dolazi od samo 20% aktivnosti koji - ma se baviš. Jogi Raman je to nazivao 'Antičko pravilo Dvadeset.'"

„Nisam siguran da te pratim."

„U redu. Hajde da se vratimo na tvoj pretrpani ponedeljak. Od jutra do večeri ti možeš da provedeš vreme radeći sve, od ćaskanja preko telefona sa klijentima i sastavljanja sudskih odbrana, pa do čitanja priče pred spavanje svom najmlađem detetu ili igranja šaha s tvojom suprugom. Da li se slažeš?"

„Slažem se."

„Ali od stotinu aktivnosti na koje trošiš svoje vreme, samo 20% će doneti trajne rezultate. Samo će 20% onoga što radiš imati uticaj na kvalitet tvog života. To su tvoje 'izrazito-delotvorne' aktivnosti. Na primer, da li zaista misliš da će za deset godina vreme koje si proveo u ogovaranju stojeći pored automata za vodu ili na ručku u nekom zadimljenom restoranu ili gledajući televiziju, da se računa u bilo šta?

„Ne, zaista ne mislim."

„Dobro. Siguran sam da ćeš da se složiš da postoje aktivnosti koje su uvek važne."

„Misliš na vreme koje sam proveo u stručnom usavršavanju ili učvršćivanju veza sa mojim klijentima i vreme utrošeno da postanem bolji advokat?"

„Da, ali i vreme koje si proveo u negovanju tvog odnosa sa Dženi i decom. Vreme provedeno u povezivanju sa prirodom i pokazivanju zahvalnosti za sve što na sreću poseduješ. Vreme odvojeno za obnavljenje tvog uma, tela i duha. Ovo su samo neke od izrazito delotvornih aktivnosti koje će ti dozvoliti da stvoriš život kakav zaslužuješ. Usmeri sve svoje vreme na te aktivnosti koje se pamte. *Prosvetljene ljude vode prioriteti.* To je tajna vladanja vremenom."

„Opa. Jogi Raman te je sve to naučio?"

„Džone, ja sam studirao život. Jogi Raman je sigurno bio divan i inspirativan učitelj i zbog toga ga nikada neću zaboraviti. Ali sve što sam naučio kroz sopstvena različita iskustva, sada mi se složilo kao komadići velike slagalice, da mi pokažu put ka boljem životu."

Džulijan je dodao: „Nadam se da ćeš izvući pouku iz mojih ranijih grešaka. Neki ljudi uče na greškama drugih. Oni su mudri. Drugi misle da pravo saznanje dolazi samo kroz lično iskustvo. Takvi ljudi tokom svog života podnose nepotrebnu bol i jad."

Bio sam kao advokat na mnogim seminarima o organizaciji vremena. Ipak, nikada nisam čuo filozofiju ovladavanja vremenom koju mi je Džulijan sada ispričao. Organizacija vremena nije bila samo nešto na šta ćeš se usredsrediti u kancelariji, a završiti sa tim na kraju radnog dana. To je bio čitav sistem, koji ako se ispravno primeni, može sve oblasti mog života da učini uravnoteženijim i popunjenijim. Naučio sam da planiranjem dana i odvajanjem vremena za to da budem siguran da ravnomerno koristim svoje vreme, neću biti samo mnogo produktivniji, biću i mnogo srećniji.

„Dakle život je poput debele kriške slanine", prekinuo sam ga. „Treba da odvojiš meso od masnoće, da bi bio gospodar svog vremena."

„Veoma dobro. Prepoznao si suštinu. I ako sam vegetarijanac, sviđa mi se analogija jer pogađa upravo ono pravo. Kada trošiš vreme i dragocenu mentalnu energiji usredsređujući se na meso, nemaš kad da gubiš vreme na masnoću. To je tačka na kojoj tvoj život prelazi iz domena običnog u prefinjenost neobičnog. Tada ti zaista počinješ da utičeš da se stvari dešavaju i odjednom se otvaraju vrata hrama prosvetljenja", primetio je Džulijan.

„To me dovodi do druge tačke. Ne dozvoli drugima da kradu tvoje vreme. Čuvaj se kradljivaca vremena. To su oni ljudi koji uvek zovu telefonom upravo kada si stavio decu na spavanje seo u svoju omiljenu fotelju da čitaš uzbudljiv roman o kome si toliko puno slušao. To su oni ljudi koji imaju običaj da svrate kod tebe u kancelariju upravo kada si usred paklenog dana našao par minuta slobodnog vremena da udahneš vazduh i sakupiš misli. Da li ti ovo zvuči poznato?"

„Džulijane, kao i obično sto posto si u pravu. Pret - postavljam da sam oduvek bio i suviše učtiv da bi ih zamolio da odu ili da bih držao zatvorena vrata", priznao sam.

„Moraš da budeš nemilosrdan kada je u pitanju tvoje vreme. Nauči da kažeš ne. Imati hrabrosti da ka - žeš ne malim stvarima u životu, daće ti snagu da kažeš da velikim stvarima. Zatvori vrata svoje kancelarije kada ti je potrebno nekoliko sati da radiš na tom velikom slučaju. Zapamti šta sam ti rekao. Ne hvataj se za telefon svaki put kad zazvoni. On je tu *radi tebe*, a ne radi drugih. Ironično, ali ljudi će te više poštovati kada vide da si ti osoba koja ceni svoje vreme. Shvatiće da je tvoje vreme dragoceno i ceniće ga i oni."

„A šta je sa odlaganjem? I suviše često odlažem stvari koje ne volim da radim i umesto toga uhvatim sebe kako pažljivo pregledam poštu na internetu ili prelistavam stručne časopise. Možda samo ubijam vreme?"

„'Ubijanje vremena' je dobra metafora. Iskreno, u čovekovoj prirodi je da radi stvari zbog kojih se oseća dobro, a izbegava one od kojih se oseća loše. Ali kao što sam već rekao, najproduktivniji ljudi na ovom svetu su razvili naviku da rade ono što manje produktivni ne vole, čak i onda kad ni sami to ne vole da rade."

Zastao sam i duboko razmislio o principu koji sam upravo čuo. Možda moj problem nije odlaganje. Možda je moj život jednostavno postao suviše komplikovan. Džulijan je osetio šta me muči.

„Jogi Raman mi je rekao da oni koji su gospodari svog vremena žive jednostavnim životom. Užurban, frenetičan tempo nije prirodan. A on je čvrsto verovao da trajnu sreću mogu da postignu samo oni koji su bili delotvorni pa su odredili svoje konačne ciljeve, i koji žive životom bogatim dostignućima i davanjima i nisu morali da žrtvuju mir svog uma. To je ono što je mene fasciniralo u mudrosti koju sam slušao. To mi dozvoljava da budem produktivan, a ipak ispunjen mojim duhovnim čežnjama."

Počeo sam više da se otvaram prema Džulijanu. „Ti si oduvek bio pošten i iskren prema meni, pa ću biti i ja prema tebi. Ne želim da se odreknem moje prakse i moje kuće i mojih kola da bih bio srećniji i zadovoljniji. Ja volim moje igračke i materijalne stvari koje sam zaradio. To je moja nagrada za sve sate koje sam proveo na poslu, svih ovih godina od kada smo se sreli. Ali osećam se prazno – zaista prazno. Pričao sam ti o mojim snovima dok sam bio student. Ima još mnogo stvari koje bih mogao da uradim u životu. Znaš da imam skoro četrdeset godina a nikada nisam otišao do Velikog kanjona ili Ajfelove kule. Nisam ni - kada šetao po pustinji ili nekog božanstvenog letnjeg dana prelazio kanuom preko mirnog jezera. Nisam se nikada izuo i šetao bos po parku, slušajući decu kako se smeju i pse kako laju. Čak ne mogu ni da se setim kada sam se poslednji put sam prošetao nakon što je pao sneg, samo da bih osluškivao zvukove i uživao u senzaciji."

„Zato pojednostavi svoj život", saosećajno je pred-ložio Džulijan. „Primeni drevni Ritual jednostavnosti na svaki aspekt tvog sveta. Ako tako uradiš, sigurno ćeš imati više vremena da uživaš u ovim divnim ču-dima. Jedna od najtragičnijih stvari koju bilo ko od nas može da učini jeste da odlaže život. Mnogi ljudi sanjaju o nekom čarobnom ružičnjaku na horizontu umesto da uživaju u ružama koje im rastu iza kuće. Kakva tra-gedija."

„Imaš li neki predlog?"

„*To* ću da ostavim tvojoj mašti. Mnoge tehnike koje sam naučio od mudraca podelio sam sa tobom. One će stvarati čuda ako budeš imao hrabrosti da ih primeniš. O, to me podseća na jednu drugu stvar, koju činim da bih bio siguran da će moj život biti i dalje miran i jed-nostavan."

„A šta je to?"

„Volim da malo odspavam poslepodne. Mislim da se zahvaljujući tome osećam snažnim, osveženim i mladim. Pretpostavljam da bi ti mogao da kažeš da mi je san potreban zbog lepote", nasmejao se Džulijan.

„Lepota nikad nije bila tvoja jača strana."

„Ali smisao za humor jeste jedna od tvojih i zato te hvalim. Nemoj nikada da zaboraviš moć smeha. Kao i muzika, to je divan lek protiv stresa i napetosti. Mislim da je Jogi Raman to najbolje objasnio kad je rekao: 'Smeh otvara tvoje srce i teši tvoju dušu. Niko ne treba da shvata život tako ozbiljno da bi zaboravio da se nasmeje na svoj račun.'"

Džulijan je imao da mi kaže još jednu misao u vezi s vremenom. „Džone, možda je najvažnije da prestaneš da se ponašaš kao da ćeš živeti pet stotina godina. Kada mi je Dajvia donela taj mali peščani sat, dala mi je savet koji neću nikada da zaboravim."

„Šta ti je rekla?"

„Rekla mi je da je najbolje vreme da se posadi drvo bilo pre četrdeset godina. A drugo najbolje vreme je danas. Nemoj da gubiš ni minut tvog dana. Razvij mentalitet samrtne postelje."

„Molim?", pitao sam, šokiran terminom koji je Džulijan upotrebio. „Šta je to mentalitet samrtne po - stelje?"

„To je novi način gledanja na život, veoma jaka pa - radigma, ako hoćeš, koja te podseća da današnji dan može da ti bude poslednji, zato uživaj u njemu do maksimuma."

„Zvuči pomalo morbidno, ako mene pitaš. Tera me da razmišljam o smrti.“

„U stvari to je filozofija života. Kada usvojiš mentalitet samrtne postelje, živiš svakog dana kao da ti je poslednji. Zamisli da se budiš svakog dana i upitaš sebe jednostavnu stvar: Šta bih radio danas da mi je poslednji dan života? Zatim misli o tome kako bi se ponašao prema porodici, kolegama, čak i onima koje ne po - znaješ. Misli kako bi bio produktivan i uzbuđen da živiš maksimalno svakog momenta. Samo pitanje smrtne postelje, ima moć da ti promeni život. To će ispuniti energijom tvoj dan, uneti mnoštvo čari i duha u sve što radiš. Počećeš da se koncentrišeš na sve značajne stvari koje si bio odlagao i prestaćeš da traćiš vreme na nevažne stvari koje su te vukle nadole u močvaru krize i haosa.“

Džulijan je nastavio: „Nateraj sebe da radiš više i da iskusiš više. Iskoristi svoju energiju da proširiš svoje snove. Da, širi svoje snove. Nemoj da prihvatiš život mediokriteta, kad poseduješ tako bezgranične potencijale u tvrđavi tvog uma. Osmeli se da dosegneš svoje vrhunce. To je tvoje urođeno pravo!“

„Moćna stvar.“

„Ima još. Postoji jednostavno sredstvo za uklanjanje frustracija koje muče mnoge ljude.“

„Moja šolja je još uvek prazna“, tiho sam rekao.

„Ponašaj se kao da je neuspeh nemoguć, a tvoj uspeh zagarantovan. Izbriši svaku misao vezanu za neuspeh u ostvarivanju tvojih ciljeva, bilo da su materijalni ili duhovni. Budi hrabar i nemoj da ograničavaš svoju maštu. Nemoj nikada da budeš rob svoje prošlosti. Budi graditelj svoje budućnosti. Nikada nećeš biti isti."

Kada je grad počeo da se budi, a jutro zasjalo punim sjajem, moj bezvremeni prijatelj počeo je da pokazuje prve znakove umora, nakon što je proveo noć prenoseći svoje znanje nestrpljivom studentu. Bio sam zadivljen Džulijanovom izdržljivošću, njegovom bezgraničnom energijom i beskrajnim entuzijazmom. On ne samo da je pričao svoju priču – on je išao svojim putem.

„Dolazimo do kraja Jogi Ramanove čarobne priče i približava se vreme kada moram da te napustim", ljubazno je rekao. „Moram mnogo toga da uradim i puno ljudi da vidim."

„Da li ćeš reći svojim partnerima da si se vratio kući?", upitao sam, obuzet radoznalošću.

„Verovatno ne", odgovorio je Džulijan. Ja sam potpuno drugačiji od Džulijana Mentla koga su poznavali. Ne razmišljam na isti način, ne oblačim se isto, ne radim iste stvari. Ja sam iz korena promenjena ličnost. Oni me ne bi prepoznali."

„Ti si zaista nov čovek", složio sam se, smejući se u sebi, dok sam zamišljao kako ovaj mistični kaluđer obučen u tradicionalnu nošnju Sivane ulazi u upadljivi crveni ferari svog bivšeg života.

„Nova osoba je verovatno još tačnije."

„Ne vidim razliku", priznao sam.

„U Indiji postoji drevna izreka: 'Mi nismo ljudska bića koja imaju duhovna iskustva. Mi smo duhovna bića koja imaju ljudska iskustva.' Ja sada razumem moju ulogu u univerzumu. Vidim šta sam. Ja nisam više u svetu. Svet je u meni."

„Ja ću razmisliti malo o tome", rekao sam potpuno otvoreno, ne shvatajući baš o čemu je Džulijan pričao.

„Sigurno. Razumem, prijatelju moj. Doći će momenat kada će ti biti jasno o čemu pričam. Ako se pridržavaš principa koje sam ti otkrio i primenjuješ tehnike koje sam ti ponudio, sigurno ćeš napredovati duž staze prosvetljenja. Postaćeš umetnik u veštini vladanja samim sobom. Videćeš šta je u stvari tvoj život: mala mrlja na platnu večnosti. Jasno ćeš videti ko si ti i šta je krajnji smisao tvog života."

„A to je?"

„Biti na usluzi, naravno. Bez obzira koliko veliku kuću imaš ili kakva kola voziš, jedina stvar koju možeš da poneseš sa sobom na kraju života jeste tvoja savest. Slušaj svoju savest. Neka te ona vodi. Ona zna šta je dobro. Reći će ti da je tvoja misija u životu: potpuno nesebično biti na usluzi drugima na ovaj ili onaj način. To sam naučio kroz moju ličnu odiseju. Sada, moram toliko puno ljudi da vidim, da im pomognem i izlečim ih. Moja misija je da širim drevnu mudrost mudraca Sivane među svima kojima je potrebna. To je moja svrha."

Plamen znanja zapalio je Džulijanov duh – to je bilo očigledno čak i jednoj tako neprosvetljenoj duši kakva je moja. Bio je pun strasti i do te mere posvećen onome o čemu je pričao, da se to odražavalo i na njegovom fizičkom izgledu.

Njegov preobražaj od slabunjavog, starog advokata u vitalnog, mladog Adonisa nije bio rezultat jednostavne promene u načinu ishrane i dnevne doze nekih vežbi za brzu korekciju figure. Ne, to je bio mnogo dublji lek na koji je Džulijan nabasao, visoko u tim veličanstvenim planinama. Pronašao je tajnu koju su ljudi znali da traže celog života. To je bilo više od tajne mladosti, ispunjenja ili čak sreće. Džulijan je otkrio Tajnu samog sebe.

Jedanaesto poglavlje – Rezime
• Džulijanova mudrost u najkraćim crtama

| Simbol |

| Svojstvo | Ceni svoje vreme

| Mudrost |

• Vreme je tvoje najdragocenije
   dobro i ne obnavlja se
• Usredsredi se na prioritete i
   održavaj balans
• Pojednostavi svoj život.

| Tehnike |

• Antičko pravilo 20
• Imaj hrabrosti da kažeš NE
• Mentalitet samrtne postelje

| Citat |

*Vreme nam klizi kroz prste poput zrna
peska i nikad se ne vraća. Oni koji mudro
koriste vreme od najranije dobi bivaju
nagrađeni bogatim, produktivnim i
zadovoljavajućim životima.*

Kaluđer koji je prodao svoj ferari

Dvanaesto poglavlje

Krajnji smisao života

Sve što živi, ne živi sâmo,
niti živi samo za sebe.

Vilijam Blejk

„**M**udraci Sivane nisu bili samo ljudi najmlađi duhom, koje sam ikada sreo", primetio je Džulijan, „već su, bez ikakve sumnje, bili i najljubazniji."

„Jogi Raman mi je pričao da bi dok je kao dete čekao da zaspi, njegov otac tiho ulazio u njegovu kolibicu prekrivenu ružama, pitajući ga kakvo dobro delo je uradio u toku minulog dana. Verovao ili ne, rekao mi je da bi ga otac, ako bi odgovorio da nije uradio ništa, naterao da ustane i uradi nešto ljubazno i nesebično, pre nego što bi mu dozvolio da ode na spavanje."

Džulijan je nastavio. „Džone, jedna od najosnovnijih karakteristika prosvetljenog života, koju mogu da ti kažem jeste sledeća: Na koncu konca, bez obzira dokle si dogurao, bez obzira koliko letnjikovaca poseduješ, i koliko kola imaš na parkingu, *kvalitet tvog života odgovara kvalitetu tvog doprinosa svetu oko tebe.*"

„Da li to ima neke veze sa svežim žutim ružama u priči Jogi Ramana?"

„Naravno da ima. Cveće će da te podseti na staru kinesku poslovicu – Na ruci koja ti daje ružu uvek ostane malo mirisa. Značenje je jasno: kada radiš na tome da unaprediš život drugih ljudi, indirektno poboljšavaš i svoj sopstveni. Ako vodiš računa o tome da slučajna ljubaznost postane svakodnevna praksa, tvoj sopstveni život postaje daleko bogatiji i sadržajniji. Negovanje svetosti i nepovredivosti svakog pojedinačnog dana, služi drugima na mnogo načina."

„Da li ti to predlažeš da se uključim u neki dobrotvorni rad?"

„To je izvanredna početna tačka. Ali ono o čemu pričam je mnogo sofisticiranije od toga. Predlažem da usvojiš novu *paradigmu* tvoje uloge na ovoj planeti."

„Opet gubim nit. Pojasni mi malo termin *paradigma*. Zaista nisam upoznat sa tim."

„Paradigma je jednostavno način na koji gledaš na okolnosti ili generalno na život. Neki ljudi vide čašu života kao polupraznu. Optimisti je vide kao polupunu. Oni tumače iste okolnosti različito, zato što su usvojili različitu paradigmu. U osnovi paradigma je leća kroz koju posmatraš događaje u tvom životu i spoljne i unutarnje."

„Znači kada mi predlažeš da usvojim novu paradigmu mog života, u stvari mi sugerišeš da promenim svoja načela?"

„Otprilike. Da bi dramatično poboljšao kvalitet svog života, moraš da neguješ nov način gledanja na to zašto si ti ovde na Zemlji. Moraš da shvatiš, da ćeš ako si došao na svet bez ikakve svrhe, taj svet napustiti ne ostavivši ništa za sobom. U ovom slučaju može da postoji samo jedan pravi razlog zašto si ovde."

„A to bi bilo?"

„Da daš sebe drugima i da značajno doprinosiš", odgovorio je Džulijan. Ne kažem da ti ne možeš da imaš svoje igračke ili da moraš da se odrekneš advokatske prakse i posvetiš se siromašnima, mada sam nedavno upoznao ljude koji su sa velikim zadovoljstvom krenuli tim putem. Naš svet je usred velikih promena. Novac kao kriterijum biva zamenjen ugledom. Advokati koji su vrednovali ljude po dubini njihovog džepa, sada cene ljude po obimu njihovih obaveza prema drugima, po veličini njihovih srca. Učitelji napuštaju svoje sigurne poslove da bi negovali rast intelektualnih potreba dece koja žive u borbenim zonama, koje nazivamo unutrašnji gradovi. Ljudi su čuli jasan poziv za promenu. Shvataju da su ovde s razlogom i da su im dati posebni talenti da im pomognu u ostvarenju toga."

„Kakva vrsta posebnih talenata?"

„Upravo ono o čemu sam ti pričao celo veče: obilje mentalnih sposobnosti, beskrajna energija, bezgranična kreativnost, zaliha discipline i izvor spokoja. To je jednostavno stvar oslobađanja ovih blagodeti i njihova primena za neko opšte dobro", primetio je Džulijan.

„Pratim te još uvek. I kako može neko da ode i čini dobro?"

„Jednostavno kažem da treba da ti bude prioritet da promeniš pogled na svet, tako što ćeš prestati da posmatraš sebe samo kao jedinku i početi da se gledaš kao deo kolektiva."

„Znači treba da postanem ljubazniji i nežniji?"

„Davanje drugima je najplemenitija stvar koju možeš da uradiš. Mudraci sa istoka nazivaju to procesom *odbacivanja sopstvenih stega*. Sve to ima veze s tim da prestaneš da budeš bojažljiv i da počneš da se usmeravaš ka višem smislu života. To bi moglo da bude u formi većeg davanja onima oko tebe, bilo da je u pitanju tvoje vreme ili tvoja energija. To su zaista tvoja dva najveća bogatstva. To može da bude nešto veliko kao na primer, da radiš godinu dana svake subote sa siroma - šnima, ili nešto malo kao recimo da propustiš nekoliko kola ispred sebe usred haotične saobraćajne gužve. Možda će zvučati naivno, ali ako sam nešto naučio, to je da tvoj život prelazi u više, magične dimenzije kada počneš da se trudiš da učiniš svet boljim mestom. Jogi Raman je rekao da kada se rađamo, mi plačemo dok se svet raduje. Predložio je da treba da živimo na takav način, da kada umremo svet plače a mi se radujemo."

Znao sam da to ima smisla. Jedna od stvari koja je počela da mi smeta u mom bavljenju profesijom pravnika, jeste to što nisam zapravo osećao da dajem onu vrstu doprinosa društvu, za koju sam osećao da sam sposoban da dam. Naravno, imao sam privilegiju da vodim izvestan broj slučajeva koji su bili presedani što je pospešilo broj dobrih slučajeva. Ali pravo je za mene postalo posao, a ne rad iz ljubavi. Na pravnom fakultetu sam bio idealista kao i mnoge moje kolege u to vreme. Sedeći u spavaonicama uz hladnu kafu i bajatu

picu, planirali smo da promenimo svet. Od tada je pro-
šlo skoro dvadeset godina, a moja goruća želja da zago-
varam promene ustupila je mesto mojoj gorućoj želji
da otplatim kredit i stvorim svoj penzioni fond.

Po prvi put nakon puno vremena shvatio sam da
sam se udobno smestio u čauru srednje klase koja me
je sa svih strana štitila od društva i na koju sam se vre-
menom navikao.

„Dozvoli mi da podelim s tobom jednu staru priču,
koja će možda zaista da pogodi suštinu", nastavio je
Džulijan. „Bila jednom jedna slabašna starica koja je,
kad je njen voljeni muž umro, otišla da živi sa sinom,
snajom i unukom. Svakog dana njeni vid i sluh su se
pogoršavali. Ponekad su se njene ruke toliko tresle da
bi se grašak iz njenog tanjira otkotrljao na pod, a supa
iscurela iz šolje. Sin i snaja nisu mogli da joj pomognu,
ali ih je nervirao nered koji je pravila. I jednog dana su
rekli – što je mnogo, mnogo je, pa su za nju postavili
mali sto u ćošku pored ormara za metle i dali joj da
tamo sama jede sve obroke. Za vreme jela, ona bi ih
gledala sa drugog kraja sobe, očiju punih suza, ali oni
teško da su razgovarali s njom, osim što bi je grdili kad
bi joj ispala kašika ili viljuška.

„Jedne večeri, upravo pre večere, mala devojčica je
sedela na podu igrajući se sa kockama. 'Šta to praviš?'
upitao ju je otac ozbiljno. 'Pravim mali sto za tebe i
mamu', odgovorila je, 'tako da možete sami da jedete u
ćošku, jednog dana kad ja budem velika.' Otac i majka
su zanemeli i to je izgledalo kao da traje celu večnost.
A onda su počeli da plaču. U tom trenutku su postali

svesni onoga što su uradili i tuge koju su prouzrokovali. Te večeri vratili su staricu na njeno pravo mesto za velikim stolom i od tog dana ona je uvek jela sa njima. A kada bi komadić hrane pao na sto ili bi viljuška zalutala na pod, izgledalo je da više niko ne mari za to.

„U ovoj priči, roditelji nisu bili loši ljudi", reče Džulijan. „Jednostavno, trebala im je iskra osvešćenja da probudi samilost u njima. Samilost i svakodnevna ljubaznost čine život daleko bogatijim. Odvoj vreme svakoga jutra da razmisliš o dobru koje ćeš učiniti za druge tokom tog dana. Iskrene reči pohvale onome ko se tome najmanje nada, gest topline ponuđen prijatelju kome to treba, mali znak pažnje članovima porodice bez ikakvog povoda, sve to vodi ka daleko lepšem načinu života. A što se tiče prijateljstva, potrudi se da ga stalno održavaš. Osoba koja ima tri prava prijatelja, zaista je veoma bogata."

Klimnuo sam glavom.

„Prijatelji dodaju humor, zanimljivost i lepotu životu. Postoji samo nekoliko stvari koje više podmlađuju od smejanja do suza sa starim prijateljem. Prijatelji te drže da budeš skroman kad počneš sebi da daješ i suviše za pravo. Prijatelji te zasmejavaju kada si suviše ozbiljan. Dobri prijatelji su tu da ti pomognu kada ti život zada neki udarac i stvari izgledaju lošije nego što jesu. Kada sam bio advokat sa puno posla, nisam imao vremena za prijatelje. Sada nemam nikog osim tebe, Džone. Nemam nikoga s kim bih išao u duge šetnje po šumi dok su se svi drugi ugnezdili u čauri mekanog, magličastog dremeža. Nemam nikoga s kim bih podelio misli kada odložim divnu knjigu koja me je duboko dirnula. I nemam nikoga kome bih otvorio dušu kada sunčevi zraci veličanstvenog jesenjeg dana ugreju moje srce i ispune me radošću."

Džulijan se brzo povratio. „Ipak, kukanje nije aktivnost za koju uopšte imam vremena. Naučio sam od mojih učitelja u Sivani da je 'svaka zora novi dan za one koji su prosvetljeni.'"

Oduvek sam doživljavao Džulijana kao neku vrstu natčoveka, pravnika gladijatora koji slama argumente protivnika kao ratoborni artista naslaganu hrpu tvrdih dasaka. Mogu da vidim da je čovek koga sam upoznao pre mnogo godina, potpuno promenio svoju prirodu. Ovaj čovek ispred mene je nežan, ljubazan i spokojan. Izgleda siguran u to ko je i kakva je njegova uloga na pozornici života. Nijedna osoba koju sam ikada upoznao nije kao on videla u bolu svoje prošlosti mudrog starog učitelja, a opet, u isto vreme, on je primećivao da je njegov život bio mnogo više od zbira prošlih događaja.

Džulijanove oči blistale su nadajući se događajima koji tek treba da se dese. Bio sam zaražen njegovim uživanjem u čudima ovog sveta i uhvaćen u mrežu njegove neobuzdane životne radosti. Činilo mi se da se Džulijan Mentl, pravni savetnik dobrostojećih, koji u sudnici slama kosti i gađa pravo u metu, zaista uzdigao od ljudskog bića koje prolazi kroz život a da ni za koga ne brine, do duhovnog bića koje prolazi kroz život isključivo vodeći brigu o drugima. Možda je to put kojim sam i ja krenuo.

Robin Šarma

Dvanaesto poglavlje – Rezime
- Džulijanova mudrost u najkraćim crtama

Simbol	

Svojstvo	Nesebično služiti drugima

Mudrost	• Kvalitet tvog života u krajnjoj meri odgovara kvalitetu tvog doprinosa svetu oko tebe • Neguj svetost svakog pojedinog dana, živi da bi davao • Unapređivanjem života drugih ljudi, tvoj život doseže svoj maksimum

Tehnike	• Budi uvek ljubazan • Daj onima koji traže • Neguj bogatije odnose

Citat	*Najplemenitija stvar koju možeš da učiniš jeste davanje drugima. Počni sa usmeravanjem na viši smisao života.* Kaluđer koji je prodao svoj ferari

Trinaesto poglavlje

Večna tajna
životne sreće

*Kada se divim čudesnom zalasku sunca
ili lepoti meseca, moja duša se širi u
obožavanju Stvaraoca.*

Mahatma Gandi

Prošlo je više od dvanaest sati od kako je Džulijan došao u moju kuću da bi podelio sa mnom mudrost stečenu u Sivani. Bez ikakve sumnje, ovih dvanaest sati su bili najvažniji u mom životu. Odjednom sam se osećao veselo, motivisano, pa čak i oslobođeno. Džulijan je iz temelja izmenio moj pogled na svet pričom Jogi Ramana i trajnim vrlinama koje je priča predstavljala. Shvatio sam da ja čak nisam ni počeo da istražujem moje ljudske potencijale. Uludo sam svakodnevno trošio talente koje mi je život dao. Džulijanova mudrost mi je pružila priliku da se uhvatim u koštac sa svim onim što me je sprečavalo da živim sa osmehom, energijom i ispunjenošću, da živim onako kako sam znao da zaslužujem. Bio sam prodrman.

ↈↃↃↄ

217

„Moraću uskoro da idem. Ti imaš obaveze koje te pritiskaju, a i ja imam nekog svog posla za koji moram da se pobrinem", izvinjavao se Džulijan.

„Moj posao može da čeka."

„Na nesreću moj ne može", rekao je sa brzim smeškom.

„Ali pre nego što odem, moram da ti otkrijem poslednji element Jogi Ramanove čarobne priče. Sećaš se da je sumo rvač koji je izašao iz svetionika usred divne bašte, samo sa ružičastom žicom koja je prekrivala njegove genitalije, nagazio na zlatnu štopericu i pao na zemlju. Nakon izvesnog vremena koje se činilo kao večnost, divan miris žutih ruža dopro je do njegovog nosa i on se osvestio. Oduševljeno je skočio na noge i bio je začuđen videvši dugačku, vijugavu stazu posutu milionima sićušnih dijamanata. Naravno, naš prijatelj sumo rvač krenuo je tom stazom i idući tuda živeo je srećno zauvek."

„Naoko izgleda uverljivo", smeškao sam se.

„Slažem se, Jogi Raman je imao prilično bujnu maštu. Ali video si da ova priča ima smisla i da su principi koje simbolizuje ne samo moćni već i veoma praktični."

„Istina", složio sam se bez rezerve.

„Dakle staza dijamanata će da te podseti na krajnju vrlinu prosvetljenog života. Korišćenjem ovog principa u svom svakodnevnom poslu, obogatićeš svoj život na način koji mi je teško da opišem. Počećeš da vidiš prefinjena čudesa u najjednostavnijim stvarima i da živiš sa zanosom koji zaslužuješ. A ispunjavanjem obećanja koje si mi dao i deljenjem sa drugima, ti ćeš dozvoliti i njima da preobraze svoj svet od običnog u izvanredan."

„Da li će mi trebati dosta vremena da to naučim?"

„Princip je sam po sebi veoma jednostavan za razumevanje. Ali da bi naučio kako da ga efikasno primenjuješ u svakom trenutku svog budnog stanja, trebaće ti par nedelja intenzivne prakse."

„U redu, umirem da čujem."

„Interesantno je što to kažeš, jer sedmi i poslednji princip se u potpunosti odnosi na življenje. Mudraci Sivane su iskreno verovali da se do života punog radosti i nagrada dolazi samo kroz proces koji su oni nazivali 'živeti u sadašnjem trenutku'. Ovi jogiji su znali da je prošlost proliveno mleko, a budućnost udaljeno sunce na horizontu tvoje mašte. Najvažniji trenutak je sada. Nauči da živiš u sadašnjosti i da maksimalno uživaš u njoj."

„Džulijane, potpuno razumem o čemu pričaš. Izgleda da ja većinu vremena provodim grizući se zbog prošlosti koju ne mogu da izmenim ili brinući o budućim događajima koji se nikada i ne dogode. Moj um je stalno preplavljen milionima misli koje me vuku u milion različitih pravaca. To je zaista frustrirajuće."

„Zašto?"

„Zamara me! Moj um nikad nema mira. Ipak, dešava se da je i moj mozak potpuno okupiran samo onim što je ispred mene, i to najčešće kada sam pod pritiskom da izdam pravno saopštenje i nemam vremena da mislim ni na šta drugo sem na zadatak koji je preda mnom. Takođe sam osetio tu vrstu potpune usredsređenosti kada sam igrao fudbal sa dečacima i zaista želeo da pobedim. Sati su prolazili poput minuta a ja sam bio potpuno koncentrisan; kao da je jedina stvar koja me se ticala bilo to što sam radio u tom trenutku. Sve ostalo, brige, računi, advokatska praksa – nije postojalo. Kad sad razmišljam o tome, to je verovatno bilo vreme kada sam se osećao najsmirenijim."

„Baviti se nečim što predstavlja pravi izazov za tebe, najsigurniji je put do ličnog zadovoljstva. Ali da bi to pamtio znaj *da je sreća putovanje, a ne odredište.* Živi za danas – jer nikada više neće biti dana kao što je današnji", kazao je Džulijan, sklopivši svoje glatke ruke kao da se moli u znak zahvalnosti što je upućen u ono što je upravo rekao.

„Da li je to princip koji simbolizuje staza dijamanata u priči Jogi Ramana?", upitao sam.

„Da", stigao je kratak odgovor. „Upravo kao što je sumo rvač našao trajno ispunjenje i radost šetajući stazom dijamanata, tako i ti možeš da imaš život kakav zaslužuješ od momenta kad počneš da shvataš da je staza kojom trenutno hodaš bogata dijamantima i drugim neprocenjivim vrednostima. Prestani da provodiš toliko puno vremena jureći velika životna zadovoljstva, a propuštajući mala. Uspori malo.

Uživaj u lepoti i svetosti svega što te okružuje. To duguješ samom sebi.“

„Da li to znači da treba da prestanem da postavljam sebi velike ciljeve i koncentrišem se na sadašnjost?“

„Ne“, čvrsto je odgovorio Džulijan. „Kao što sam već rekao, snovi i ciljevi za budućnost su osnovni elementi svakog istinski uspešnog života. Nadaj se da ono što će se pojaviti u tvojoj budućnosti jeste upravo ono što te izvlači iz kreveta ujutro i što te motiviše preko dana. Ciljevi daju energiju tvom životu. Moja poenta je jednostavna: nikad ne odlaži sreću zbog nekog dostignuća. Nikad ne ostavljaj za posle stvari koje su važne za tvoju blagodet i zadovoljstvo. Danas je dan da se živi punim plućima, a ne kada dobiješ na lutriji ili kada odeš u penziju. Nikad ne odguruj život!“

Džulijan je ustao i počeo da hoda goredole po dnevnoj sobi, poput iskusnog advokata koji iznosi svoje finalne argumente u strastvenoj završnoj reči. „Nemoj biti budala i misliti da ćeš postati bolji i velikodušniji muž time što ćeš u svojoj advokatskoj kancelariji zaposliti još nekoliko mladih advokata i rasteretiti posao. Nemoj da se zavaravaš, verujući da ćeš obogatiti svoj um, brinuti o svom telu i negovati svoju dušu onda kada se tvoj bankovni račun dovoljno uveća i ti budeš imao više slobodnog vremena. Danas je dan da uživaš u plodovima svojih napora. Danas je dan da ugrabiš momenat i živiš uzvišenim životom. Danas je dan da živiš od svoje mašte i da ostvaruješ svoje snove. I, molim te, nemoj nikada da zaboraviš na sreću što imaš porodicu."

„Nisam siguran da znam tačno na šta misliš, Džulijane?"

„Budi deo detinjstva svoje dece", stigao je jednostavan odgovor.

„Uh?", promrmljao sam, zbunjen očiglednim paradoksom.

„Nekoliko stvari je značajno koliko i to da budeš deo detinjstva svoje dece. Kakva je svrha penjati se stepenicama uspeha, ako si propustio prve korake svoje dece? Šta je dobro u tome da imaš najveću kuću u kraju, ako nisi odvojio vreme da stvoriš dom. Kakva korist od toga što si vatreni advokat parničar poznat širom zemlje, ako tvoja deca ne znaju svog oca?", pomenuo je Džulijan glasom koji je podrhtavao od emocija. „Ja znam o čemu pričam."

Ovaj poslednji komentar me je zapanjio. Sve što sam znao o Džulijanu bilo je da je bio advokat superzvezda koji se družio sa bogatim i lepim svetom. Njegovi romantični izlasci sa seksepilnim manekenkama bili su gotovo podjednako legendarni kao i njegove veštine u sudnici. Šta bi bivši milioner zavodnik mogao da zna o očinstvu? Šta bi on mogao da zna o svakodnevnim naporima sa kojima se suočavam u pokušaju da svima izađem u susret, da budem veliki otac i uspešan advokat? Ali, Džulijanovo šesto čulo me je osetilo.

„Ja znam ponešto o blagoslovu koji zovemo deca", tiho je rekao.

„Ali oduvek sam te smatrao najpoželjnijim neženjom u gradu, dok nisi odustao od dalje borbe i svoje advokatske prakse.“

„Znaš da sam bio oženjen, pre nego što sam upao u zamku iluzije brzog i furioznog načina života, po kome sam bio toliko poznat.“

"Da.“

Napravio je pauzu, kao dete koje se sprema da svom najboljem prijatelju kaže dobro čuvanu tajnu. „Ono što ne znaš jeste da sam i ja imao ćerkicu. Ona je bila najslađe, najnežnije stvorenje koje sam ikada video u životu. U to vreme ličio sam poprilično na tebe kakav si bio kada smo se upoznali: prepotentan, ambiciozan i pun nade. Imao sam sve što se poželeti može. Ljudi su mi govorili da imam briljantnu budućnost, čarobno lepu ženu i divnu ćerku. Ipak, upravo kada je život izgledao savršen, sve sam to izgubio u trenutku.“

Po prvi put od kako se vratio, Džulijanovo uvek veselo lice prekrio je oblak tuge. Jedna suza polako se skotrljala niz njegov preplanuli obraz i kapnula na somot njegove rubin – crvene tunike. Zanemeo sam ophrvan tajnom mog dugogodišnjeg prijatelja.

„Džulijane, ne moraš da nastaviš“, saosećajno sam mu rekao, zagrlivši ga oko ramena da ga tešim.

„Ali moram, Džone. Od svih koje sam poznavao u svom bivšem životu, ti si najviše obećavao. Kao što sam rekao, mnogo si me podsećao na mene kada sam bio mlađi. Čak i sada imaš mnogo toga što ti ide u prilog.

Ali ako nastaviš da živiš kako živiš, prvi si na udaru. Vratio sam se da bih ti pokazao da ima toliko mnogo čuda koja čekaju da ih istražiš, tako mnogo trenutaka sačuvanih da bi uživao u njima.

„Pijani vozač koji je ubio moju ćerku nije uzeo samo jedan dragoceni život tog sunčanog oktobarskog popodneva – uzeo je dva. Nakon smrti moje ćerke, moj život se srušio. Provodio sam svaki minut svog budnog stanja u kancelariji, budalasto se nadajući da će moja karijera pravnika biti spas za slomljeno srce. Ponekad sam čak i spavao na kauču u kancelariji, plašeći se da se vratim kući i suočim se sa tako mnogo slatkih uspomena. I dok je moja karijera doživljavala uspon, moj unutarnji svet je bio u haosu. Moja žena, koja je stalno bila sa mnom još od fakulteta, napustila me je, obrazlažući to time da je moja opsednutost poslom jezičak na vagi koji je prevagnuo. Zdravlje mi se pogoršalo i ja sam se odao sramnom načinu života koji sam vodio kada smo se prvi put sreli. Sigurno je da sam imao sve što se novcem moglo kupiti. Ali ja sam prodao dušu za to, zaista jesam“, primetio je Džulijan, glasom još uvek punim emocija.

„Znači, kad mi kažeš: 'Proživljavaj detinjstvo svoje dece, u suštini mi govoriš da odvojim vreme da ih gledam kako rastu i razvijaju se. To je to zar ne?“

„Čak i danas, dvadeset sedam godina nakon što nas je napustila, dok smo je vozili na rođendan njene najbolje drugarice, sve bih dao samo da je ponovo čujem kako se kikoće ili igra skrivalice, kao što smo imali običaj da radimo u bašti iza kuće. Voleo bih da je držim u rukama i nežno mazim po njenoj zlatnoj kosi. Kada je umrla odnela je sa sobom i deo mog srca. I mada je moj život ispunjen novim smislom od kada sam u Sivani našao put ka prosvetlenju i samovođstvu, ne prođe nijedan dan da ne vidim ružičasto lice moje slatke male devojčice na tihoj pozornici mog uma. Ti, Džone, imaš tako dobru decu. Nemoj da zbog drveta ne vidiš šumu. Najbolji poklon koji ikada možeš dati svojoj deci jeste tvoja ljubav. Ponovo ih upoznaj. Pokaži im da su oni daleko važniji za tebe nego prolazne nagrade u tvojoj profesionalnoj karijeri. Uskoro će oni otići, gradeći sopstvene živote i porodice. Tada će biti prekasno, vreme će proći."

Džulijan je pogodio žicu, duboko u meni. Pretpostavljam da sam već neko vreme bio svestan da moj radoholičarski tempo polako ali sigurno kida naše porodične veze. Ali to je tinjalo poput žara, koji tiho gori polako akumulirajući energiju pre nego što otkrije pun delokrug svojih razornih mogućnosti. Znao sam da sam potreban deci, čak iako mi to oni nisu rekli. Trebalo je da to čujem od Džulijana. Vreme je izmicalo a oni su rasli tako brzo. Nisam mogao da se setim kada smo se poslednji put moj sin Endi i ja iskrali u rano subotnje jutro da bi proveli dan na pecanju, koje je njegov deda tako mnogo voleo. Bilo je vreme kad smo išli svakog vikenda. Sada je to dragoceno vreme izgledalo kao nečija tuđa uspomena.

Što sam više razmišljao o tome, jače me je pogađalo. Recitali na klaviru, božićne igre, šampionati male lige, sve to je bilo žrtvovano mom profesionalnom napretku.

'Šta ja to radim?', zapitao sam se. Ja sam zaista klizio niz opasnu nizbrdicu koju je Džulijan opisao. Tada i tamo, rešio sam da se promenim.

„Sreća je putovanje", nastavio je Džulijan, glasom ponovo ispunjenim žarom strasti.

„Takođe, to je izbor koji praviš. Ti možeš da se diviš dijamantima duž puta kojim ideš ili možeš da nastaviš da protrčavaš kroz život, jureći neuhvatljiv ćup zlata na kraju duge, za koji se na kraju otkrije da je prazan. Uživaj u posebnim trenucima koje nudi svaki dan, jer je ovaj današnji dan sve što imaš."

„Da li iko može da nauči da 'živi sada'?"

„Apsolutno. Nema veze kakve su tvoje trenutne okolnosti, ti možeš sebe da obučiš da uživaš u daru života i popuniš svoju egzistenciju dragocenostima svakodnevnog života."

„Ali zar nije to pomalo optimistično? Šta ćemo sa onima koji su upravo izgubili sve što su posedovali zahvaljujući lošem poslovanju? Recimo da to nije samo njihov finansijski već i emotivni krah."

„Veličina tvog računa u banci i veličina tvoje kuće nemaju nikakve veze sa življenjem ispunjenim osećanjem sreće i čuda. Ovaj svet je pun nesrećnih milionera. Zar misliš da su mudraci koje sam upoznao u Sivani brinuli o tome da li imaju dobro izbalansiran kapital u banci i letnjikovac na jugu Francuske?“, pitao je Džulijan vragolasto.

„U redu. Shvatam poentu.“

„Postoji ogromna razlika između zarađivanja puno para i stvaranja mnogo čega u životu. Kada makar pet minuta dnevno počneš da vežbaš da budeš zahvalan, odnegovaćeš bogatstvo življenja za kojim tragaš. Čak i osoba o kojoj govoriš u primeru koji si naveo, može da nađe mnogo stvari da bude zahvalna, uprkos svom strašnom finansijskom škripcu. Pitaj ga da li je još uvek zdrav, da li ima porodicu i dobar ugled u društvu. Pitaj ga da li je srećan što ima državljanstvo ove velike zemlje i da li još uvek ima krov nad glavom. On verovatno nema drugu imovinu sem majstorske veštine da teško radi i sposobnosti da sanja velike snove. Ali to je dragocena imovina za koju treba da bude zahvalan. Svi mi imamo puno toga zbog čega treba da budemo zahvalni. Mudrom čoveku izgledaju kao poklon čak i ptice koje pevaju na njegovom prozoru i čine čarobnim još jedan letnji dan. Zapamti Džone, život nam ne daje uvek ono što tražimo, ali nam uvek daje ono što nam treba.“

„Dakle, time što ću biti svakodnevno zahvalan za sve što posedujem bez obzira da li je materijalno ili duhovno, razviću naviku da živim u potpunosti u sadašnjem trenutku?“

„Da. To je delotvoran način da uneseš daleko više življenja u svoj život. Kada osetiš 'sada', pališ vatru života koja ti omogućava da ostvariš svoju sudbinu.“

„Ostvarim svoju sudbinu?"

„Da. Već sam ti rekao da su nam svima dati određeni talenti. Svaki pojedinac na planeti je genije."

„Ne znaš neke advokate sa kojima ja radim", podrugljivo sam primetio.

„Svako", kategorički je ponovio Džulijan. „Svi mi smo za nešto stvoreni. Tvoj genije će zablistati i sreća će ispuniti tvoj život onog momenta kada otkriješ svoju svrhu i usmeriš svu svoju energiju ka tome. Jednom kada budeš povezan sa tom misijom, bilo da je to biti veliki učitelj ili nadahnuti umetnik, sve tvoje želje će se ispuniti bez napora. Čak nećeš morati ni da probaš. U stvari, što si uporniji, duže će da traje putovanje do cilja. Umesto toga, jednostavno sledi stazu svojih snova sa punim ubeđenjem da će nagrade sigurno stići. To će te dovesti do tvoje božanske sudbine. To sam mislio kad sam rekao da 'ostvariš sudbinu'", mudro je objasnio Džulijan.

„Kada sam bio mali dečak, moj otac je voleo da mi čita bajku poznatu pod nazivom 'Petar i čarobni konac'. Petar je bio veoma živahan mali dečak. Svi su ga voleli: njegova porodica, učitelji i prijatelji. Ali on je imao jednu slabost."

„Šta je to bilo?"

„Petar nije mogao da živi u trenutku. Nije bio naučio da uživa u procesu života. Kada je bio u školi, sanjao je da bude napolju i da se igra. Kada bi se igrao napolju, sanjao je o letnjem raspustu. Petar je stalno sanjao danju, nikad ne uživajući u posebnim trenucima koji su ispunjavali njegove dane. Jednog jutra, šetao se po šumi blizu njegove kuće. Osetivši umor, odlučio je da se odmori na travi i eventualno odrema. Nakon nekoliko minuta dubokog sna, čuo je kako ga neko zove po imenu. 'Petre! Petre!' kreštavi glas dolazio je odozgo. Kada je polako otvorio oči, trgnuo se videvši upadljivu ženu kako stoji iznad njega. Mora da je bila stara preko sto godina i njena snežno bela kosa visila joj je niz leđa kao čupavo vuneno ćebe. U naboranoj ruci ove žene bila je čarobna mala lopta sa rupom u sredini. Iz te rupe visio je dugačak zlatni konac.

„'Petre'“, rekla je, 'ovo je konac tvog života, Ako ga povučeš samo malo, sat će se pretvoriti u nekoliko sekundi. Ako povučeš malo jače, dani će proći brzo kao minute. A ako povučeš svom snagom, meseci – čak i godine – proći će za nekoliko dana.' Petar je bio veoma uzbuđen tim otkrićem. 'Voleo bih da to imam, ako mogu?', upitao je. Stara žena se brzo spustila do njega i dala mu čarobni konac.

„Sledećeg dana, Petar je sedeo u učionici uznemiren i dosađujući se. Odjednom, setio se svoje nove igračke. Kako je malo povukao zlatni konac, brzo se našao kod kuće igrajući se u bašti. Shvativši moć čarobnog konca, Petar se uskoro zasitio uzrasta školskog dečaka i poželeo da bude tinejdžer, sa svim uzbuđenjima koje ta faza života donosi. Zato je ponovo izvukao lopticu i jako povukao zlatni konac.

„Iznenada, bio je momak sa veoma lepom mladom devojkom po imenu Eliza. Ali on još uvek nije bio zadovoljan. Nikada nije naučio da uživa u trenutku i da istražuje jednostavna čuda svake faze života. Umesto toga, sanjao je da bude odrastao, pa je opet povukao konac i mnogo godina je proletelo u trenutku. Video je da se transformisao u sredovečnog čoveka. Eliza je sada bila njegova žena, a Petar je bio okružen kućom punom dece. Ali on je primetio nešto drugo. Njegova nekad zift crna kosa počela je da sedi. I njegova nekad mlada majka koju je tako puno voleo, postala je stara i slaba. Ipak, Petar još uvek nije mogao da živi u trenutku. Nikada nije naučio da 'živi sada'. Još jednom je povukao čarobni konac i čekao da se pojave promene.

„Našao je sebe kao devedesetogodišnjeg starca. Njegova gusta crna kosa je pobelela kao sneg, a njegova lepa mlada žena Eliza je ostarila i umrla je nekoliko godina ranije. Njegova divna deca su odrasla i napustila kuću da žive samostalno. Po prvi put u celom svom životu, Petar je shvatio da nije koristio vreme da uživa u čudima života. Nikada nije išao na pecanje sa svojom decom, ili šetao po mesečini sa Elizom. Nikada nije gajio baštu ili čitao te divne knjige koje je njegova majka volela da čita. Umesto toga, jurio je kroz život, nikad se ne odmarajući da bi video sve to što je bilo dobro duž puta.

„Petra je veoma rastužilo to otkriće. Odlučio je da izađe napolje u šumu, kojom je nekada kao dečak šetao, da bi razbistrio glavu i zagrejao duh. Kako je ušao u šumu opazio je da su mladice posađene u njegovom detinjstvu izrasle u ogromne hrastove. Šuma je, sama po sebi, sazrela i pretvorila se u prirodni raj. Legao je na travu i zaspao dubokim snom. Nakon samo jednog minuta čuo je da ga neko doziva. 'Petre! Petre!', zvao je glas. Pogledao je začuđeno i video da to nije niko drugi već starica koja mu je pre mnogo godina dala loptu sa čarobnim koncem:

„'Kako ti se dopao moj specijalni poklon?', upitala ga je.

„Petar je bio direktan u odgovoru.

„'U početku je bilo zabavno, ali sada ga mrzim. Čitav moj život mi je prošao pred očima, a da nisam imao šansu da u njemu uživam. Sigurno da je bilo tužnih trenutaka kao i divnih, ali ja nisam imao priliku ni jedno da proživim. Osećam se prazno iznutra. Propustio sam dar življenja.'

„'Ti si veoma nezahvalan', reče starica. 'Ipak, ispuniću ti još jednu, poslednju želju.'

„Petar je za trenutak razmišljao i zatim naglo odgovorio. 'Voleo bih da se vratim i budem dečak koji ide u školu i da proživim ponovo svoj život.' Zatim je ponovo zaspao dubokim snom.

„Ponovo je čuo da ga neko zove po imenu. 'Ko to može sad da bude?', pitao se. Kada je otvorio oči, bio je potpuno oduševljen videvši majku kako stoji pored njegovog kreveta. Izgledala je mlada, zdrava i zračila je. Petar je shvatio da je čudna žena iz šume zaista ispunila njegovu želju i vratila ga u njegov pređašnji život.

„'Petre, požuri. Previše spavaš. Ako ne ustaneš ovog sekunda, zakasnićeš u školu zbog tvojih snova', upozoravala ga je majka. Nepotrebno je reći da je Petar skočio iz kreveta tog jutra i počeo da živi onako kako se nadao. Nastavio je da živi pun život, bogat mnogim veseljima, radošću i trijumfima, ali sve to je počelo onda kada je prestao da žrtvuje sadašnjost za budućnost i počeo da živi u trenutku."

„Zadivljuća priča", tiho sam prokomentarisao.

„Na nesreću, Džone, priča o Petru i čarobnom koncu je samo priča, bajka. U stvarnom svetu mi nikad nećemo dobiti drugu šansu da živimo život punim plućima. Danas imaš priliku da postaneš svestan dara življenja – pre nego što bude prekasno. Vreme zaista klizi kroz tvoje prste poput sićušnih zrnaca peska. Neka novi dan bude prelomni trenutak tvog života, dan kada ćeš jednom zauvek odlučiti da se usmeriš na ono što ti je zaista važno. Donesi odluku da ćeš provoditi više vremena sa onima koji ti znače u životu. Duboko poštuj specijalne trenutke, uživaj u njihovoj snazi. Radi ono što si oduvek želeo. Popni se na planinu na koju si oduvek želeo da se popneš ili uči da sviraš trubu. Pleši po kiši ili stvaraj novi posao. Nauči da voliš muziku, uči nove jezike i ponovo budi veseo kao u detinjstvu. Prestani da odlažeš svoju sreću zbog očuvanja postignutog. Umesto toga, zašto da ne uživaš u procesu? Oživi svoj duh i počni da brineš o svojoj duši. To je put do Nirvane."

„Nirvana?"

„Mudraci Sivane veruju da je krajnje odredište svih zaista prosvetljenih duša mesto poznato pod imenom Nirvana. U stvari više nego mesto, mudraci veruju da je Nirvana stanje u koje prelazi sve što su ranije znali.

U Nirvani, sve je moguće. Ne postoji patnja, a igra života se odvija božanski savršeno. Kada bi dostigli Nirvanu, mudraci su osećali da stupaju u Raj na Zemlji. To je bio krajnji cilj njihovog života", primetio je Džulijan, a njegovo lice zračilo je skoro anđeoskim mirom.

„Svi mi smo ovde iz nekog posebnog razloga", proročanski je primetio. „Duboko razmisli šta je tvoja prava misija i kako možeš drugima da pomogneš. Prestani da robuješ važnosti. Otkrij danas iskru svog života i pusti je da sija punim sjajem. Počni da primenjuješ principe i strategije koje sam podelio s tobom. Budi ono što jesi. Doći će vreme kada ćeš i ti osetiti ukus plodova Nirvane."

„Kako ću da znam da sam dostigao to stanje prosvetljenosti?"

„Pojaviće se mali znakovi koji to potvrđuju. Počećeš da primećuješ svetost u svemu što te okružuje: božanstvenost mesečine, privlačnost raskošno plavog neba vrelog letnjeg dana, miris poljskog cveća ili smeh malog, vragolastog deteta."

„Obećavam ti, Džulijane, da vreme koje si proveo sa mnom nije uzalud potrošeno. Posvetiću se životu po principima mudraca Sivane i održaću obećanje koje sam ti dao. Sve što sam naučio podeliću sa onima, kojima će tvoja poruka biti od koristi. Govorim od srca. Dajem ti svoju reč", iskreno sam rekao, osećajući teskobu uzavrelih emocija.

„Svima oko tebe prenesi bogatu baštinu mudraca. Njima će to znanje brzo koristiti i oni će poboljšati kvalitet svog života, kao što ćeš i ti popraviti kvalitet svog.

I zapamti, putovanje služi zato da bi se u njemu uživalo. Put je dobar koliko i kraj."

Pustio sam Džulijana da nastavi. „Jogi Raman je bio veliki pripovedač, ali ima jedna priča koju mi je ispričao, a koja se izdvaja od ostalih. Mogu li da ti je ispričam?"

„Apsolutno."

„Pre mnogo godina u staroj Indiji, jedan maharadža želeo je da izgradi svojoj ženi spomenik, kao znak njegove duboke ljubavi i odanosti prema njoj. Želeo je da stvori građevinu kakvu svet do tada nije video, koja će da svetluca na mesečini i kojoj će se ljudi stolećima diviti. I tako, svakog dana po vrelom suncu, gradili su njegovi radnici blok po blok. Svakog dana građevina je izgledala malo drugačije, malo više je ličila na spomenik, na simbol ljubavi pod azurno plavim nebom Indije. Konačno nakon dvadeset i dve godine svakodnevnog napretka, ova palata od čistog mermera bila je završena. Pogađaš o čemu pričam?"

„Nemam pojma."

„Tadž Mahal. Jedno od sedam svetskih čuda", odgovorio je Džulijan. „Moja poenta je jednostavna. Svako na ovoj planeti je svetsko čudo. Svako od nas je heroj na ovaj ili onaj način. Svako od nas ima potencijale za izvanredna dostignuća, sreću i trajno ispunjenje. To su sve mali koraci na putu ostvarenja naših snova. Poput Tadž Mahala i život prepun čuda se gradi dan po dan, blok po blok. Male pobede vode velikim pobedama. Sitne promene i poboljšanja, kao ove koje sam predložio stvoriće pozitivne navike. Pozitivne navike će doneti rezultate. A rezultati će da te inspirišu za velike lične promene. Počni da živiš svakog dana kao da ti je poslednji. Počni od danas, uči više, smej se više i radi ono što zaista voliš. Nemoj sebi da uskraćuješ svoju sudbinu. Jer ono što je iza tebe i ono što je ispred tebe, znači malo u poređenju sa onim što se krije u tebi."

Ne rekavši ništa više, Džulijan Mentl advokat – milioner, preobraćen u prosvetljenog kaluđera, ustao je, zagrlio me kao brata koga nikad nije imao i izašao iz moje dnevne sobe u gustu vrelinu još jednog sparnog letnjeg dana. Sedeći i prebirajući po mislima, primetio sam da jedini dokaz ove neobične posete koji mogu da pronađem, leži tiho na stolu ispred mene. To je bila njegova prazna šolja.

Trinaesto poglavlje – Rezime
- Džulijanova mudrost u najkraćim crtama

Simbol	
Svojstvo	Prihvati sadašnje vreme
Mudrost	• Živi 'sada'. Uživaj u darovima sadašnjeg vremena • Nikad nemoj da žrtvuješ sreću zbog dostignuća • Uživaj u putovanju i živi svakog dana kao da je poslednji
Tehnike	• Budi deo detinjstva svoje dece • Praktikuj zahvalnost • Stvaraj svoju sudbinu
Citat	*Svi mi smo ovde iz nekog posebnog razloga. Prestani da budeš rob svoje prošlosti. Gradi svoju budućnost.* Kaluđer koji je prodao svoj ferari

Svojstvo		Simbol
1. Ovladaj svojim umom		Divna bašta
2. Sledi svoju misiju		Svetionik
3. Vežbaj kaizen		Sumo rvač
4. Živi disciplino- vano		Ružičasta žica
5. Poštuj svoje vreme		Štoperica
6. Nesebično služi druge		Mirišljave ruže
7. Prihvati sadaš- nje vreme		Staza dijamanata

Robin Šarma

TAJNA PISMA KALUĐERA KOJI JE PRODAO SVOJ FERARI

Knjiga Robina Šarme *Kaluđer koji je prodao svoj ferari* dirnula je ljude širom sveta, prodata je u preko četiri miliona primeraka i prevedena na preko pedeset jezika. Tačno petnaest godina posle objavljivanja prvog izdanja, pojavio se i nastavak pod nazivom *Tajna pisma kaluđera koji je prodao svoj ferari*, snažna priča koja će verovatno pleniti pažnju čitalaca i narednih godina.

Poznati glavni lik Džulijen Mentl razboleo se, pa šalje svog nećaka u istraživački poduhvat preko pola sveta, sa ciljem da pronađe njegova nekadašnja tajna pisma i beleške. U tim pismima je sadržano znanje koje je on godinama prikupljao, a koje je sažetak njegovog bogatog i ispunjenog života i neka vrsta duhovnog testamenta. Priča obuhvata zanimljivo putovanje preko Bosfora i Turske do ribarskih sela u Indiji, a i lutanje po Pariskim katakombama i drugim egzotičnim i teško dostupnim mestima.

Ova knjiga sadrži neke osnovne lekcije o ličnom preobražaju i ostvarenju životne sreće, kao i uputstva za vođenje autentičnog i ispunjenog života.

Robin Šarma
KALUĐER KOJI JE PRODAO SVOJ FERARI
2013.

I izdanje

Za izdavača:
Miroslav Josipović
Nenad Atanasković
Saša Petković

Izvršni urednik:
Dubravka Trišić

Urednik:
Nenad Atanasković

Lektura:
Tanja Stanojević

Dizajn i prelom:
Vulkan izdavaštvo

Štampa:
Plavo slovo, Beograd
www.plavoslovo.rs

Izdavač:
Vulkan izdavaštvo d.o.o.
Gospodara Vučića 245, Beograd
office@vulkani.rs
www.vulkani.rs

Tiraž: 1.000 primeraka

CIP — KATALOGIZACIJA U PUBLIKACIJI
dostupna je u Narodnoj biblioteci Srbije, Beograd

COBISS.SR-ID 196315404